国語をめぐる冒険

渡部泰明　平野多恵　出口智之
田中洋美　仲島ひとみ

岩波ジュニア新書 938

はじめに

国語は冒険だ。まずそう言い切りたいと思います。べつに奇抜なことを言って、驚かせたいわけではありません。国語を学ぶことは冒険の旅に出ることとそっくりだと、本当に思うのです。

冒険とは、危険を顧みない行動を指します。危ないことがわかっていても、あえて挑戦する行為のことです。時には命の危機にさらされるかもしれない。そんな恐れを振り払うようにして突き進むのが、冒険だといえるでしょう。そこには必ず、未知の世界や存在への憧れがあります。これまで知らなかったものとの出会いを求める気持ちがあります。冒険とは、危険を伴う未知との出会いのことなのです。

一方、学びとは成長を求めることです。成長とは、新しい自分に成ることです。逆に言えば、古い自分は捨てられることになります。脱皮という言葉が、成長とほぼ同じ意味で使われることからもわかりますね。今までの自分を、一時的とはいえ壊してしまうというのですから、自分という存在の危機であるということもできるでしょう。安全地帯に寝転んでいるだけでは、新しい世界を見ることはできません。大切なのは、何が起こるかわからない場所に、勇気を出して飛び込んでいくことです。成長するとは、とても冒険的な行動なのです。

　国語は、人間として成長することと深く関わる科目です。物事を今まで以上に広い視野から見つめ直し、その意味をもっと掘り下げ、より適切な判断を加えていく。わたしたちはそういう人間的な成長を言葉によって果たします。成長することと国語は表裏一体だということができます。国語は冒険だ、と心から思うのは、こうした理由があるからなのです。

　この本では、国語という冒険の旅でどんな出会いがあるのか、それを紹介します。

　第一章では、旅に出る一人の若者を取り上げます。昔からとても有名な旅人です。彼は、とても今の社会では自分の居場所はないと、遠い世界へと旅立ちます。当然どうなるかわからない不安が彼を襲います。そんな時、なんと彼は言葉を武器にして不安と戦ったのです。どんなふうにして戦ったのでしょう。そして彼は戦いに勝利することができたのでしょうか。

　第二章では、人の心との出会いが語られます。なかでも問題にするのは自分の心です。わかっているようで、むしろ一番わからないのは、自分の心かもしれません。自分の心こそ未知の世界であり、国語を学ぶことはそれとの出会い方を教えてくれます。例えば古の人は、占い、という工夫を編み出しました。実は占いは、言葉がわたしたちの思考を支え、わたしたちの心を育てているという事実と、切り離しがたく関わっているのです。

第三章では、他者と出会います。取り上げるのは、「山月記（さんげつき）」という小説です。そもそも小説を教室で学ぶ意義とは何でしょう。小説なんて、一人で読んで楽しめばいい。そう考えている人もいるのではないですか。なにもみんなで一緒に読むことはないのだと。強調したいのは、違う角度から見つめることの大事さです。まずは名探偵が謎ときをするような面白さを味わってみてください。まったく別の顔をした登場人物と出会うことができるでしょう。そして、異なった意見を持つ仲間たちとも出会うことにもなります。それはつまり、他者と出会うことなのです。

第四章では、言葉と出会います。他人に自分の考えや思いを伝えることは、本当に難しい。わかりやすく話しなさい、書きなさいと言われたことはありませんか。でもわかりやすさって何でしょう。「わかりやすく」が一番わかりにくいと感じてしまう。ところが自分が今感じていることと、昔からある言葉が、ある時出会う瞬間がある。そんな時目の前がぱっと明るくなって、言葉が生き生きと動き始める。その瞬間は、どんなきっかけで生まれるのでしょうか。その「きっかけ」をお話しします。

第五章では、国語そのものと出会います。国語というものは、けっしてのっぺりと均質であったり、がっちり固定されたりしているものではありません。様々な要素が含まれ、しかも流動的なものであったりするのです。でなければ、刻々と動いている社会やわたしたちの生活に対応することもできないでしょう。ですから「国語」とは何を指しているのかを考え直すことは、わたしたちの生きる社会を問い返すことにもつながります。そして日本語の持っている可能性に気づくことにもなるでしょう。つまり国語そのものと出会うことになるのです。

さあ、一緒に冒険の旅へ！

二〇二一年四月

渡部泰明

目次

目　次

挿絵＝平澤朋子

第一章　国語は冒険の旅だ

渡部泰明

願いは、何？

国語って何を勉強するの？

そもそもなんで国語を勉強するの？

そんな素朴な疑問から始めてみましょう。素朴だけれど、とても大切な疑問です。実は、それを考えるには、何を理想とするか、何を願って生きていくか、ということと関係してくるのです。どういうことでしょう。

君は今、どんなことを願っているでしょう。成績を上げたい、素敵な恋人がほしい、大会で優勝を目指す！――などなど、もちろん色々あるでしょうね。何でもいいから、人からすごい、と思われるようになりたい、なんて願っている人もいるかもしれない。しかも一人の人にだって、たくさん願い事があって、ちっともおかしくない。質問が広すぎました。もう少し幅を狭めましょう。子供の頃からずっと願い続けてきたことはありますか。これならかなり限定されて、答えやすくなるでしょう。答えやすくたって答えたくない。そんな大事なことは、黙って胸に秘めていたい。そう言われてしまうかもしれないですが。

わかりました。それではまず、私の秘密から話しましょう。なに、秘密といっても大したことではありません。私は子供の頃からずっと、人前で普通に話せるようになりたい、と願い続けてきました。人前に出ると、あがって真っ赤になってしまって、何も言えなくなったからです。なんて暗い性格だ、と笑われてしまいそうですね。そういうふうに笑われるのが怖くて、もっと緊張して、いよいよ喋れなくなってしまうのですから、手の施しようがない、というわけです。

そんな私の頭の中はどうなっていたかというと、けっこうあれこれ考えてはいたのです。それどころか、空想やら妄想やらが渦巻いていました。私は本好きでした。とくに未知の世界を旅する冒険小説が大好きでした。例えばジュール・ベルヌの『海底二万哩』や『八十日間世界一周』など、何度も読み返して、言葉の端々を覚えてしまうくらいでした。だから言いたいことは山ほどあったのです。でも悲しいかな、それを上手に言葉にする方法がわかりませんでした。どうやったら私の心の中をわかりやすく伝えることができるだろう、わかってもらえたらどんなに嬉しいだろう。そんなことばかり考えていた気がします。

大人になって私は、古い歴史をもつ日本語の表現を考え、考えたことを人に伝えたり教えたりする職業に就きました。人に言葉を教える？　あの、超のつくほど話し下手の自分が！と、ときどき不思議な気持ちになります。でも不思議でも何でもないのかもしれません。人にわかってもらいたい、そんな気持ちをうまく表現した言葉にはどういうものがあるか、長い間苦心して考え続けた結果を、伝えようとしているだけなのでしょう。自分の願いを実現しているだけなのかもしれません。

国語って何を勉強するの？

私の願っていたことばかり話してしまいました。もっと「国語って何を勉強するのか」「何で国語を勉強するのか」というみんなの疑問について考えるのでしたね。

国語という教科で、なぜ、何を学ぶか。そのことを考えるために、最初に糸口にしたいのが、次の言葉です。

理想と現実

言うまでもなく、意味の反対の言葉です。対義語などといいます。「国語って何を勉強するのか」の「何」に当たる事柄はたくさんあって、とても一口には言えないのですが、少なくともこの二つの言葉がどう関係するかを考えるだけで、国語で学ぶことの大事なことの一つがわかると思うのです。そして、なぜ国語を勉強するのかを考えるヒントにもなるでしょう。

では、早速ここで問題。「理想」という熟語を定義してみてください。

「こうなったらいいなという状態」、「望ましいあり方」。だいたいそういう感じですね。それほど難しくはないでしょう。

じゃあ「現実」を定義したら、どうなるでしょう。

「実際にあるこの世のこと」、「事実」。そう、間違っていない。だけどぴったり合うかというと、ちょっと物足りなくないですか。「もっと現実を見つめなさい」などという言い方を思い出してください。私たちが「現実」という言葉を使う時には、「自分だけで思い込んでいないで」とか、「『理想』ばかり追いかけてはだめだ」というような気持ちが込められている場合があります。「事実」というのは、私たちを取り巻く実際の事柄すべてに当てはまりますが、「現実」の方は、もう少し意味が狭くて、しかも「思い込み」と食い違うもの、「理想」の実現を邪魔するもの、という意味合いがある。「現実」の前提に「想念」や「理想」があります。「想念」や「理想」があるから「現実」があるわけです。

逆のこともまたいえるでしょう。「想念」「理想」が「現実」になったら、それこそ理想的だし、私たちはそのために生きているといってもよいかもしれません。だけど想念も理想も、簡単に実現しはしないのだと、教えられたりしたことがありませんでしたか。私はずいぶん言い聞かせられてきました。言われ続けたあげくに、思ったこと、願ったことはまずかなわないんだ、と決め込むようになった気さえします。

それは少し行き過ぎにしても、理想は、すぐに現実になったりしてはいけないもののような雰囲気があります。理想は実際にはかなえられないもの、目指されるもの、つまり現実には存在しないもの、というニュアンスがあるといってよいのでしょう。このように理想と現実の関係は、相対的で、微妙です。でも私たち人間はこの世に生きていて、たいてい現実を理想化したいと願っています。ですから、人間をめぐって書かれた文章――つまりあらゆる文章――だって、基本的に理想と、それに相対する現実という枠組みをいつも抱え込んでいる、といっていいでしょう。

文章は全部理想と現実という枠組みを持っているだなんて、少し言い過ぎのような気もします。えっ、と思った人もいるかもしれません。たしかに「理想」だけだと足りないですね。先ほどから「理想」と組み合わせて用いていた「想念」とか、あるいは「概念（がいねん）」とか「心」

とかを合わせて考えてみてください。そうすれば、文章のほとんどは、「理想」（想念・抽象）と「現実」（事実・具体）との関係から成り立っている、ということに気づくでしょう。事実というものは、素粒子などの微小なものから、世界や宇宙といった広がりを持つものまで、無数にあります。一つ一つを知ろう、捉えようとしたら、訳がわからなくなってしまう。放っておいたら事実の洪水に、私たちは押し流されてしまうのです。それを整理したり、体系化したりして、事実を事実としてしっかり受け止めるよう導いてくれるのが、理想や想念や抽象概念です。大事なのは、理想（想念・抽象）と現実（事実・具体）の関係なのです。

虹の根もとを探す人

では、その理想と現実の関係について、具体的に考えてみましょう。次の文章がヒントになると思います。

どうすれば虹の根もとに行けるか　　黒井千次

子供の時に虹を見たことのある人ならば、誰でも一度はあの巨大な半円形の橋の根もとまで行ってみたい、と思った覚えがあるに違いない。初めて虹に出会ったのがいつであったかは忘れてしまったが、その根もとがどんなふうになっているのだろう、と夢みるように考えた記憶だけはぼくの中にもはっきり残っている。

虹

筆者は子供の頃から「虹の根もと」が見たかった、と言っています。そして「誰でも一度は」その根もとに行ってみたいと思ったはずだ、というのです。もしかしたら、ちょっと待ってくれと、違和感を持った人もいるかもしれませんね。そんなこと考えたこともない、勝手に決めつけないでくれ、と。ただそういう人でも、何かに一心に憧れて、それに近づいてみたいと思ったことはあるはずです。そういう体験を思い出し、それが虹の根もとだと仮定してみて、その時の自分を振り返ってみることを求めている、と考えてみればよいでしょう。具体的なことは、そのイメージを生かして味わうとともに、それをいったん抽象化して、一般化してみることが大切です。

ともあれ筆者は、虹の根もとに行く方法を大人に聞くことはしなかった、と言います。

虹の根もとがどうなっているか、それを自分の眼で確かめるにはいかなる方法が適切か、という子供の問いに満足のいく答を与えることはむずかしい。あれは橋のように見えているだけで実際には根もとなどないのだ、といっても子供が承服するとは思えない。あの虹まではとても遠いので到底人間は行けないのだ、ときかされても、それでもどこかに根もとはあるのだろう、と子供は信じ続けることだろう。
（同前）

どうやら筆者が問題にしたいのは、理想を追い求め続ける心にあるようです。それにしてもどうして根もとなのでしょう。どうして虹そのものではいけないのでしょう。もしそういう疑問を持ったら、とても大事なことですので、もう少しその疑問を持ったままにしておいてください。後でまた考えましょう。

さあ、文章の本題はここから始まります。

ところがある時、ぼくはその答を偶然手に入れた。自分が既に子供ではなくなってからではあったけれど。
（同前）

大人になってから、どこで見つけたかというと、ハンス・カロッサというドイツの作家の『幼年時代』という小説集の中の一篇でした。それはこんな話でした。

主人公の少年の友だちに、「ニジマス」とあだ名される年上の女の子がいた。その子は、意地は悪いけれど、地震とか地獄とか気味の悪い話をするので、子供たちに人気があった。ある時、そのニジマスの家が落雷のために火事になる。ふと見ると暗い空の上に、鮮やかな虹がかかっている。主人公は思わず、「世界が滅びる」と狂喜する。するとニジマスは、今なら虹のところまで歩いて行けるかもしれない、虹は草の中の金の皿の上に立っている、と教える。主人公は、その金のお皿を取りに行こうと、手を引いて女の子を誘う。すると彼女はこう言う。

お皿は取りに行ってはいけない。お皿のことなど夢にも考えずに、ひょっこりそれをみつけたらお皿はあなたのものになるけれど、わざわざそれをさがしたりすると罪になるのよ。
（同前）

筆者は、虹についての問いかけへの答えとして、美しく完璧なものだ、と感じるのです。そしてこう思います。

　ぼくが幸せであったのは、ひたすら答をさがし求めていた時にそれを与えられたのではなく、なにも知らずに読みはじめた一篇の小説の中で偶然その答にぶつかったことであった。もしかしたら、カロッサの美しい小説との出会いが、ぼくにとっては虹をのせた金の皿の発見と同じ意味をもっていたのかもしれない。（同前）

　そして、子供の時の疑問を、子供は何十年もかけて追い求め、自分が何を探していたのか忘れかけた頃になって、初めて謎を解く鍵を与えられる。「謎こそが子供の命であり、不思議こそが子供の糧なのだ」と言うのです。子供が大人になるとはどういうことなのか、あるいは大人にとって子供時代とはどういう意味を持つのか、いろいろ考えさせる文章です。子供から大人になろうとしている皆さんにこそ、読んでもらいたいと思って紹介しました。

　さて、この文章をめぐって考えていただきたいことが、二つあります。まず一つ目は、どうして答えは「偶然」に与えられなければならないのか、「偶然」ということにどういう意味があるのか、という問題。二つ目は、なぜ「虹」そのものではなく、「虹の根もと」なのか、という問題です。

なぜ偶然なのか

まず最初の疑問、偶然について考えてみましょう。筆者は偶然に理解するのでなくてはいけない、と言っていました。どうしてなのでしょう？　偶然の対義語は必然です。これこれこうなったら、次には必ずこうなる、そう決まっている、というのが必然です。その反対、というのですから、決まっていないことが起こることですね。計画も、準備もされていないことが起こる。あるいは、予想もしない物事に出くわす。しかもそれがとても意味を持っている場合、私たちは、偶然だ、と口にします。どんなに必然ではないことでも、とくに意味を持ったことでないと、偶然とは普通言いませんね。ただ出来事が起こっていると思うだけです。つまりこれまでの知識や経験からは説明できない、けれどとても有意義な、意味のある事柄に出会った時、私たちは偶然を問題にするのです。だいぶ核心に近づいてきました。つまり、今までの自分とは違う、新しい自分へと成長したり、飛躍したりすることと、偶然の出会いは深く結びついている、と筆者は言うのです。

境界という場所

次に二つ目の疑問点から考えてみましょう。この文章の中で言っている「虹の根もと」とは何でしょう。どういうものを表しているのでしょう。理想と現実という観点から考えてみます。そうすると、虹は、理想に当たりそうですね。美しく、空のかなたにあり、追い求めたくなるけれど、手が届きそうにない。どこにあるのかもはっきりしない。そうこうしているうちに、はかなく消えてしまう。理想のイメージにぴったりです。ではその「根もと」は何に相当するでしょう。地面に付いている場所ですから、現実との接点といえばよさそうです。接点そのものに目を向ければ、それは現実に属するともいえるし、理想の世界に属するともいえる。両方の世界が重なり合う領域です。私たちは普通現実の側にいますから、理想の世界への入り口ということもできる。要するに理想と現実の境目ですから、境界と名付けておきたいと思います。

「虹の根もと」を境界だと認識することで、話はずいぶん広がってきます。私たちの日常生活においても、境界は重要な働きをしているからです。門や玄関、受付など、少しでも特別な場所に入る時には、入り口が大きな意味を持ちます。いいえ、反対でしょう。いかめしい門扉があったり、門番を置いたり、入り口の重要性を強調することによって、これから入っていく場所の権威を高めるのでしょう。昔、世の中で一番位の高い人のことを、「帝」と呼びました。「みかど」とは、そもそも「御門」のことです。最も立派な門のある建物に住んでいる人が、最も地位の高い人だったのです。

お話や物語の中だと、境界はもっとはっきりと大事な役目を果たします。

冒険者、登場

願いをかなえたい、つまり理想を実現したいと希望し、理想の世界に入り込もうと行動を起こした時、そこには必ず境界があります。現実と理想の境界です。境界を乗り越えていかなければ、理想の世界へはたどり着けません。だからこそ、必ずといってよいほど境界では、やっかいな問題が待ち受けています。困難が降りかかってきます。そんな境界をめぐるドラマをはっきりと示してくれるのが、昔の物語です。怪物や鬼など強大な敵や、時には神なども現れて、主人公に苦難を与えます。その苦難に打ち克った時、主人公には驚くような変化が訪れます。宝物を手に入れたり、別人のような成長を遂げたりする。そのような物語には、まったく新しい自分になりたいと願う、私たち人間の切なる望みが封じ込められているのです。

怪物や鬼と戦わなくても、境界を越える冒険の旅は十分成り立ちます。それが理想と現実の境界をめぐる旅です。私たちは理想を求める。すると現実が邪魔をする。それでもなお、理想を実現しようとすれば、理想を現実に合わせて変容させるか、捨て去らなくてはならない。でも逆だっていいのではないか。理想を大事にするなら、現実の方を捨て去ることだってできるはずだ。理想を捨てたくない！と思って、今いる社会の中から出ていく選択肢だってあるはずだ。誰も守ってくれない、安定、安心からほど遠い世界へと、飛び出していく――それはもう、冒険の旅です。冒険といっても、超自然的な存在と戦うだけではない。人間的な危機と戦うのも、十分に冒険です。古来、人々はそういう冒険者に憧れ続けました。そして、物語の形で描き出そうとした。描き出して自分たちの理想を託そうとしたのです。千年以上も前の、そういう冒険者を紹介しましょう。

僕なんていらない⁉

昔あるところに、一人の若者がいました。この人、とても良い家柄に生まれて、周りの期待感も高かったのですが、どうも生きるのが上手じゃありません。エネルギーにあふれ、女性にも積極的にアプローチする。ところが、それがかえって人から敬遠される原因を作ってしまうのです。皆さんが社会に出て、そういうことになったら、どうしますか？　今だったら、転職を考えるでしょうか。引っ越すという手もあります。転職したり転居したりすれば、だいぶ環境が変わります。違う世界も開けてくるかもしれない。でもずいぶん苦労しそうです。アフリカとか、アジアでも遠い国に行けば、なかなか冒険的です。まったく知らない人や物事に出会い、新しい自分へと脱皮(だっぴ)できるかもしれない。そういう冒険をその主人公もしました。今の私たちであれば遠い外国に匹敵(ひってき)するような、東国に行って住もうと、仲間を誘って出かけたのです。本来生きるべき場所、京の都を捨てていったのです。いったいそれは誰かといえば、『伊勢物語(いせものがたり)』の主人公です。

『伊勢物語』といえば、平安時代にできた最古の歌物語です。和歌を中心とした短い物語が、一二五段ほど集まってできています。作者は不明ですし、成立もよくわかりません。原型となる章段ができたのは、九世紀に遡(さかのぼ)れるかといわれています。主人公は「男」とだけ呼ばれていますが、どう見ても、在原業平(ありわらのなりひら)(八二五〜八八〇年)という有名な人物を想像させるように書かれています。きっと昔の人は、実在の業平とこの物語の「男」とを重ね合わせ、業平の情報で補いながら味わったことでしょう。平安時代に生まれた古典作品の中でも、

『古今和歌集』や『源氏物語』などと並んで、もっとも重要視され、後世にも非常に影響を与えました。日本を代表する古典の一つといってよいでしょう。高校の教科書にも、『伊勢物語』のいくつかの章段が、必ず掲載されています。その中でもとくに有名な章段を取り上げてみましょう。ただし、有名な古典だからといって、けっして恐れることはありません。実はとても身近で、わくわくするようなスリリングな展開を見せていて、しかも深く共感できるお話なのです。でなければ、千年以上も大事にされるはずはないですよね。もちろん在原業平のことを知らなくてもちゃんとわかるようにできています。さあ、原文を味わってみましょう。

むかし、をとこありけり。そのをとこ、身をえうなき物に思ひなして、京にはあらじ、あづまの方に住むべき国求めにとて行きけり。もとより友とする人ひとりふたりしていきけり。道知れる人もなくて、まどひいきけり。

その昔、ある男がいた。その男は、自分がいらない人間だと思い込んで、もう京にはいられない、東国の方に自分の居場所を探しに行こうと思って、出て行った。古くからの友人を、一人二人連れて行った。道がわかる人もおらず、迷いながら行ったのだった。

『伊勢物語』第九段、「東下り（あずまくだり）」などと呼ばれている章段の始めです。旅の文学の代表、などといわれたりもします。もちろん、旅は非常に困難な時代です。命の危険と隣り合わせでした。今だったら、食料だけを手に、現金もカードも身分証明書も携帯電話も持たず自転車やヒッチハイクで日本中を旅するようなものでしょうか。それはもう冒険といってよいですね。さあ、冒険の旅の始まりです。

八橋という異世界

皆さんのイメージする冒険の旅では何が起こるでしょうか。敵が現れて、戦う、というかもしれませんね。たしかにゲームなどでは、そのパターンが多いのでしょう。ただし、主人公は兵士とはかぎりません。困った状況に陥って苦しむ、あるいは不思議な世界に入り込んで奇妙な体験をする、というふうに一般化しておけば、おおよそあらゆる物語にあてはまるでしょう。物語の中の冒険の旅では、主人公は、つぎつぎと困難な物事に出会い、これに立ち向かって、一つ一つその関門を突破していく。そうして成長していくはずです。「男」とだけ呼ばれている、『伊勢物語』の旅する主人公もそうでした。
さてさて、では、迷い迷いで進んでいった「男」が出会ったのは、どういう関門だったのでしょう。

まずこの絵(図1・1)を見てください。

図1・1　尾形光琳「燕子花図屏風(右隻)」(根津美術館所蔵)

絵といっても、これは、六曲一双(ろっきょくいっそう)の屏風(びょうぶ)に描かれたものですね。江戸時代の絵師、尾形光琳(こうりん)作の「燕子花図(かきつばたず)」です。国宝で大変有名な屏風ですから、皆さんも目にしたことがあるのではないでしょうか。『伊勢物語』の、まさにこの場面を題材にしたものです。不思議な絵です。同じようなカキツバタしか描かれていない。ほかの物や風景は一切ない。人もいない。だけれども、いつのまにかこの屏風の絵の中に引っ張り込まれるような力を感じます。カキツバタの群落の中にいるような気になってくる、といえばよいでしょうか。この絵の不思議な力を生み出したものと、これから読む文章は深く関わっています。

三河の国、八橋といふ所にいたりぬ。そこを八橋といひけるは、水ゆく河の蜘蛛手なれば、橋を八つわたせるによりてなむ八橋といひける。その沢のほとりの木の陰に下りゐて、乾飯食ひけり。その沢にかきつばたいとおもしろく咲きたり。それを見て、ある人のいはく、「かきつばたといふ五文字を句の上にすゑて、旅の心をよめ」といひければ、よめる。

　から衣きつゝなれにしつましあればはる〴〵きぬる旅をしぞ思ふ

とよめりければ、皆人、乾飯のうへに涙おとしてほとびにけり。

三河の国の八橋という場所にたどり着いた。なんでそこを八橋というかというと、川の水が蜘蛛のように八方に流れているからで、しかも橋を八つも渡してあるので、八橋というのだった。その沢のほとりの木陰に馬から降りて座って、乾飯を食べた。その沢にカキツバタがたいそう美しく咲いていた。それを見てある人が、「「かきつばた」という五文字を句頭に置いて、旅の心情を詠んでごらん」と言ったので、次のように詠んだ。

　慣れ親しんだ妻を都に残してきた。その妻のことを思うと、どれほどはるばるやって来た旅かを実感するのです。

と詠んだので、一行はみな、乾飯の上に涙を落として、乾飯がふやけてしまった。

男たち一行は、三河の国(今の愛知県東部)にある八橋（やつはし）というところにやってきました。八橋がどこかはよくわかりません。今の愛知県知立（ちりゅう）市にはたしかに八橋という地名があるのですが、これは『伊勢物語』を慕って後世に名付けられた地名です。ただ、それがどこかはこの場合あまり問題になりません。「三河」という川に縁のある国で、縦横に川が流れていて、橋がたくさん架かっている、というイメージが大切です。「八」というのは、八個に限定されず、数が大変多いことを表します。さあ、ずいぶん変わった土地です。川が四方八方に伸びていて、しかも橋があちこちに架かっているなんて。まるで迷路のようですね。日常的な生活空間とは全く違っています。異世界とさえ呼べるかもしれない。

いくら何でも異世界は言い過ぎだろう。そう思いますか。でも、川というのは、そもそもこちら側とあちら側を隔てるものです。昔から、村や市の行政区画を示す境界となったりしました。渡っていくことで、こちらとは違う世界へ入っていく境目になる。渡るための橋が境界であることはわかりやすいですね。そして境界・境目は、人間が変容を迫られる、特殊な空間です。たしかに異世界といえるかもしれません。じゃあ、川の向こう、橋の向こうは？　それらは、異世界というより、別世界です。別世界は別世界の日常があります。境界に立ち上がる異世界は、日常が許されない時空なのです。ですから、人間はここで、危機に襲われることになります。

いわゆる説話や伝承のようなお話なら、ここで妖怪や化け物でも出てきそうです。しかしここに出現したのは、カキツバタです。カキツバタは湿地帯に生えますから、「八橋」の地に群生していても、おかしくありません。今でいえば、ミズバショウの咲き誇る尾瀬の光景を思い浮かべればよいのかもしれません。尾瀬にも徒歩で歩くためにあちこちに橋が架かっています。

けれども尾瀬を知らない平安時代の人にとっては、この言葉が喚起するイメージは、もっと不思議なものがあります。迷路のような川と橋があり、その川辺に美しいカキツバタが、一面に咲いているのです。なんだか妖しげです。魔力のようなものを感じさせる、といったらおおげさでしょうか。少なくとも異世界感をますます掻き立てただろうことは間違いないでしょう。

言葉を武器にせよ

そこで彼らは、この妖しげなまでに美しいカキツバタを、征服しようとしました。もちろん武力によってではありません。和歌を詠むことによってです。一般に、不可解な物事が突然出現してびっくりしたとしても、言葉で表すことができれば、理解可能な範囲に収まり、気持ちも落ち着きます。精神的に自分のものにできる、といえばよいでしょうか。それが普通の言葉でなく、和歌という特別な言葉だった場合は、表現する難易度も上がりますから、相手を組み伏せる力もずっと強くなる。組み伏せるだけではありません。相手の持っている強烈な力を吸収して、自分のものにだってできる。この場合は、そんな和歌の中でも、とびきり難易度の高い技が繰り出されました。普通なら「かきつばた」をそのまま歌に詠み込むところなのに、こんな不思議な異世界の中ではとても足りないと思ったのでしょう、和歌の五つの句の最初の字を「か・き・つ・は・た」とするという制約を設けたのです。

「か○○○／き○○○○○○／つ○○○○／は○○○○○○／た○○○○○○」

とするわけですね。平安時代には濁点というものがありませんから、清音濁音の区別はしなくてもかまいません。

しかも「旅の中での思い」を詠め、というのです。超難問です。昔話の中には、難問を出され、それを見事に解いて見せることで、困難な状況を切り開く、というパターンがあります。知恵も一つの武器なのですね。和歌はその知恵を表す言葉の武器の最たるものといえます。簡単には作れない、特別な表現だからです。

さあ、男は、魔力を感じさせるといいたくなるようなこの妖しげなカキツバタに対抗するために、どのように難問を解いたでしょうか。この難問を解く鍵は何でしょうか。

男はひらめきました。「衣」を中心にしたらどうか、と。最初の句は「から衣(唐衣)」としてあります。これがこの歌のテーマとなります。唐衣は、もともとは外国風の衣服のことですが、美しく珍しい衣をいいます。衣は妻を思い出す媒介となりました。衣を準備するのは妻の務めですし、共寝をする時には、衣を一緒にかぶっていた、あるいは互いの衣を交換して寝ていた、ともいいます。衣も妻も身に寄せるものですね。そうやって妻に「慣れる」し、衣も着続ければ「萎れる」(くたくたになる)。そういえば、衣の衿の部分を「褄」ともいう。洗って干すために広げ伸ばすことを「張る」といいます。これを「はるばる」と書ければ、旅と結びつく。ほら、衣を中心としたことで、旅で妻を思う気持ちが、つながっていったではないですか。図で示しましょう。

萎れ…褄…張る………着
慣れ…妻…はるばる…来

左右で対応するのが掛詞です。右が衣にまつわる言葉。左のうち、「慣れ」「妻」が妻を思うという文脈で、「はるばる」と「来」が旅の文脈。つまり、衣をテーマとして示し（初句で表現されている）、それに関する言葉を綴じ糸にする（縁語）ことで、妻を思うこと（主として、第二・三句で表現されている）と、旅をしていること（主として第四・五句で表現されている）とが、しっかりと縫い合わされているのです。「か・き・つ・は・た」を句頭に配する技巧に加えて、というのですから、なんとも超絶的な技術です。人間離れしているとさえ思えます。昔の人だってそう感じたことでしょう。人の意思で作ったというより、神様の思し召しといいたくなる、超自然的な力を感じさせるのです。なぜでしょう。掛詞とか縁語とか、言ってみれば、言葉が偶然に似通っているにすぎません。ところが、その偶然が、神の仕業を思わせることで、まるで運命のように感じられるのです。

　この歌の偶然の出会いに満ちた言葉のパワーは、旅がもたらす苦しみや悲しみを、すっかり浄化してしまいました。しかしただ苦しみを抑えたというだけではありません。つらい一方のものを、感動的なものへと変えてしまったといえばよいでしょうか。これこそが文学の力、詩の力というべきでしょう。和歌という武器で、彼らは危険を乗り越えたのです。「乾飯」（携行に便利な乾かした飯）が「ほとびにけり」（ふやけてしまった）という、ユーモラスな言い方にも気を付けましょう。普通なら、涙が袖を濡らした、というようなところです。明るい救いを感じませんか。深刻な映画を見て、かなり重苦しくなった気持ちが、最後の軽いユーモラスなエピローグによって、ほの明るくなるようなものといえましょうか。「男」たちが危機を切り抜けた証といえるように思います。

言葉の魔力

言葉の力って、すごい。それなりに長く生きてきて、ますますその思いは強くなりました。私のささやかな経験をお話ししましょう。大学四年生の頃、卒業後の進路を考えていて、大学院に進学することを思いつきました。本当に、ふと頭に浮かんだのです。熱心に勉強していたとはとてもいえない学生でしたから、本格的に勉強することに憧れた、というのが実情だったでしょう。あきれた学生ですが、ともあれ、研究者の道に進む、という思いつきに夢中になりました。

その挙句に、以前からお世話になっていた、大学院に進学したばかりの先輩に相談しました。大学院に行って、研究者を目指したいのだけれど、と。するとその先輩は何と言ったと思いますか？「君に研究は絶対に向かない。悪いことは言わないから、やめろ」と断定したのです。何にせよ、他人からそこまで頭から否定されたことがなかったので、少々あっけにとられました。たしかにその時の現状からいえば、正しい忠告に違いなかったのです。けれどしばらくすると、むくむくと反発心が湧いてきました。ようし、そんなに言うならやってみようじゃないか、と。もしもあの時、「なかなか難しい挑戦だよ」などと客観的にアドバイスされていたら、元来小心者の私は、諦めていたかもしれません。結果的に、先輩の言葉が私の無茶な選択を後押ししたのです。

その言葉は、ずっと私の心の中に響き続けました。行き詰まることがあっても、自分には向いてないんだから、思い通りにできなくて当然だ、どんな意に染まない解決策でもいい、探してみよう、という気になりました。逆にほんのちょっとでもうまく行きかければ、自分に向いてない道なのに凄いじゃないか！　と自分で自分を励まして、いっそうやる気を出すことができました。たった一言が、良い時も悪い時も、ずっと心の支えとなったのです。その先輩は亡くなりましたが、今でも心から感謝しています。

すみだ河の都鳥

さて、八橋では、そこが境界であり、異世界であるさまが描かれていました。一行はそこで危険な状態に追い込まれ、危機に瀕していた。「男」は、和歌を詠み、その危機を脱しました。同じことがその続きでもいえるでしょうか。『伊勢物語』の本文を少し早送りして、この章段の最後の方を見てみましょう。

　なほ行き〳〵て、武蔵の国と下つ総の国との中に、いと大きなる河あり。それをすみだ河といふ。その河のほとりにむれゐて思ひやれば、限りなく遠くも来にけるかなとわびあへるに、渡守、「はや舟に乗れ、日も暮れぬ」といふに、乗りて渡らむとするに、皆人ものわびしくて、京に思ふ人なきにしもあらず。さる折しも、白き鳥の嘴と脚と赤き、鴫の大きさなる、水のうへに遊びつゝ魚をくふ。京には見えぬ鳥なれば、皆人見知らず。渡守に問ひければ、「これなむ都鳥」といふをきゝて、

　名にし負はばいざこととはむ都鳥わが思ふ人はありやなしやと

とよめりければ、舟こぞりて泣きにけり。

　なお先へ先へと行くと、武蔵の国と下総の国の間に、たいそう大きな河が流れていた。それはすみだ河と呼ばれている。その川のほとりに集まって座って、「思いやると限りなく遠くまでやって来たことだな」と悲嘆しあっていると、渡し船の船頭が、「早く船に乗れ、日が暮れてしまう」と言うので、乗って川を渡ろうとするが、みんなそれぞれに京に思う人が

いないわけではないので、胸が苦しくなってくるのだった。ちょうどその時、白い鳥で、嘴と脚とが赤く、鴫の大きさくらいの鳥が、水上を遊ぶようにして魚を捕らえているのが見えた。京では見たことのない鳥だったので、誰も知らなかった。船頭に聞いてみると、「これが都鳥だ」と言うではありませんか。そう聞いて、

「都」という名前を持っているなら、さあ質問しよう、都鳥よ。私の愛する人は、無事でいるのか、いないのか。

と詠んだので、船中の人がこぞって泣いた。

どんどん行くと、武蔵（むさし）の国と下（しも）つ総（ふさ）の国の境に大きな川がありました。武蔵の国は、今の埼玉県と東京都を合わせ、さらに神奈川県の東の一部、川崎市と横浜市あたりまでを含んだ大きな国です。下つ総の国は、下総（しもうさ）国ともいい、今の千葉県北部に、茨城県の南西の一部を合わせた国。ということは、現在の東京都と千葉県の県境にある江戸川を思い浮かべたくなりますが、しかし本文では、「それをすみだ河といふ」と言っています。当時は江戸川よりもっと西のすみだ河——「住田河」などと表記した——が両国の境であったようです。ともあれ、ここでも境界となる川が大きくクローズアップされていることに注意しましょう。

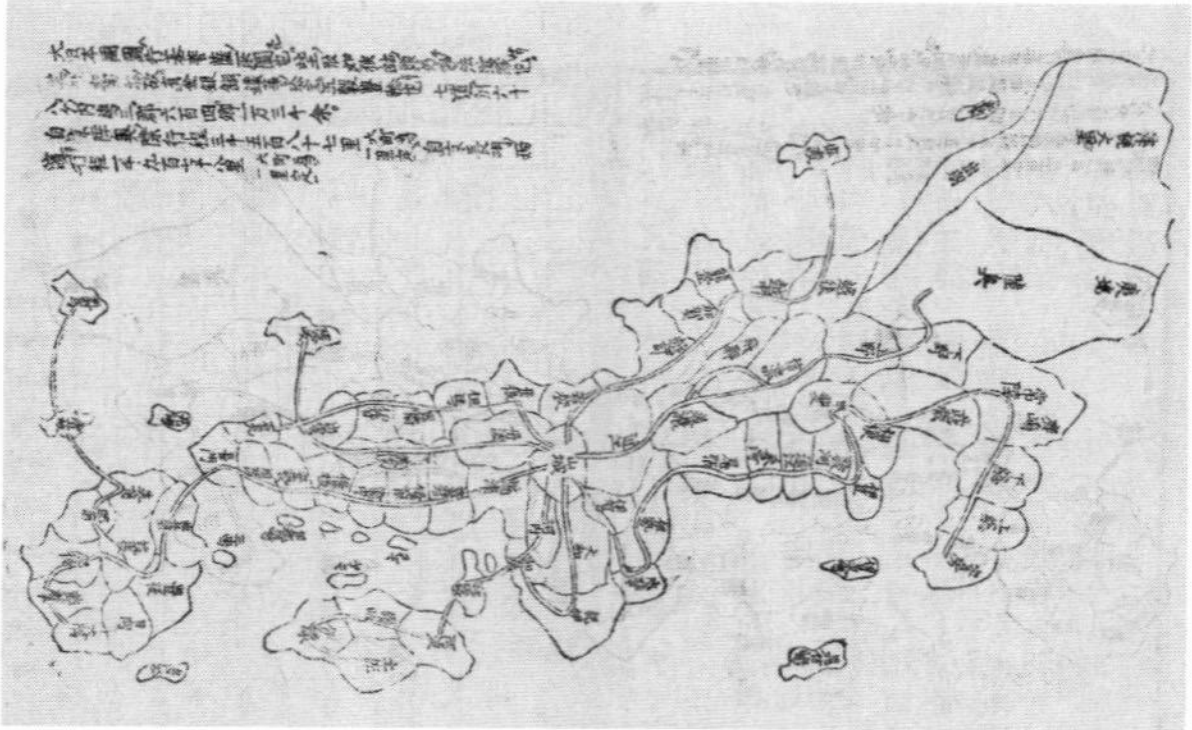

図1・2　行基図（『拾芥抄』63〜64頁，国立国会図書館デジタルコレクションより）

異世界である境界が立ち現れたのです。

昔の日本列島はどんなイメージ？

ちなみに、ここで古い日本地図をお見せしましょう。江戸時代に伊能忠敬（いのうただたか）らが正確な日本地図を作りますが、それよりずっと前に描かれた日本地図で、「行基図（ぎょうきず）」（図１・２）などと呼ばれています。

『拾芥抄（しゅうがいしょう）』という鎌倉時代にできた本の中に描かれています。平安時代の人々の日本列島のイメージも、こんな感じだったかもしれません。

北海道がありませんね。東北地方もずいぶん簡略です。平安京のある山城国（やましろのくに）から道が出ていて、日本の中心であることがよくわかりますが、今の福島県あたりで、その道も途切れています。

武蔵国と下総国の境がどこにあるか、探してみてください。けっこう端の方ですよね。とうとうここまでやってきた、という感慨があってもおかしくありません。

境界の空間

さあ、彼らはまたここで、八橋の時と似たような行動をとります。川のほとりに集まって座ったのです。そしてこう思います。「思えばとんでもなく遠くへ来たものだ」と。こういう境界の時空に置かれた時、人は自分の存在を揺るがされるような不安を覚えます。これからどうなるだろうと。そしてこれまでのことを振り返ります。どうやってここまで来たのだろうかと。例えば、卒業式や葬式、結婚式などを思い浮かべてください。いずれも、境界的な時間・空間において行われる儀式です。そこでは、必ずと言ってよいほど、これまでの過去を振り返ります。未来に不安を抱えながら、自分が何者であったかを改めて考えざるをえなくなるのです。彼らの場合は旅をしていますから、都を出てからの旅程が思いやられ、寂しさ・悲しさに襲われるのです。そして自分のアイデンティティが揺らいできてしまったのです。「男」たちは、危ういところへと入り込もうとしている。

しかも彼らをさらに危機に誘い込む存在まで現れます。「渡守」と呼ばれる、船頭です。

「早く船に乗れ、日が暮れてしまう」と言うのです。彼らには、まるで脅すように聞こえたことでしょう。渡し守は、役割的には橋と同じように、あちらの世界とこちらの世界を橋渡しする人ですから、これも境界的な存在です。時間的にも、日が暮れようとする、昼と夜の境界であることが明示されます。失われゆく光を愛惜し、これから来る夜の闇への不安に震える時間です。

都鳥、現る

さあ、いよいよ乗船です。彼らは、あちらでもなく、こちらでもない、境界の空間に放り出されようとします。ゆらゆらと頼りなく揺れる小さな渡し船に乗ろうとして、京の都に残してきた恋しい人のことを思う。

その時です。今までに見たことのない鳥が水面にいるのが見える。くちばしと脚が赤くて、鴫くらいの大きさの鳥。その名を渡し守に問うと、これが都鳥さと自慢げに答えるではありませんか。都を遠く離れて、都鳥に出会う。都鳥という名前を聞いて都を思い出した、というのではありません。都のことは、乗船する時から、非常に強く思っていたのですから。都にいる人のことを思い詰めていたちょうどその時、その気持ちを狙いすましたように、都鳥が出現したのです。
びっくりするほどの偶然です。当然心は大きく揺らぎます。ただでも不安定に揺れる船の上なのですから、その動揺は激しいものがあります。さあ、また危機がやってきました。なんとかこの揺れ動く心を静めなければなりません。そこで、男はまた歌を詠みます。彼のもっとも得意とする武器を繰り出したのです。

名にし負はばいざこととはむ都鳥わが思ふ人はありやなしやと

なんと、お前は都鳥というのか。そんな名前を持っているのだったら、きっと知っているだろう。教えてくれ、私の愛するあの人は、無事でいるのか、いないのかと。旅の中の思いが爆発したような、絶唱と呼びたくなります。けれどもう少し、丁寧に見てみましょう。第二章でお話しするのですが、和歌は占いの言葉でもあります。「ありやなしや」とは、直訳すれば、存在するのかしないのか、つまり、生きているのか、それとも死んでいるのか、ということです。まるで都鳥に占ってもらっているみたいですね。占いだとすれば、都鳥を介して、神様の意志を尋ねているといえるでしょうか。

命の、危うさ

それにしても、「ありやなしや」という質問はずいぶん大げさにも思えます。普通だったら、まだ私のことを忘れずに、思ってくれているだろうか、というくらいではないでしょうか。今の人と違って昔の人はこういう言い方をしたのだ、とか、和歌の中では普通の表現だった、とか思うかもしれません。いいえ、昔の和歌でも、こういう表現は、やはり相当に踏み込んだ言い方だといえます。なぜ、生きているのか死んでいるのかとまで、言うのでしょう。

それはやはり、自分の命の危うさを、そこに託しているからではないでしょうか。あまりの寂しさ・悲しさに死にそうになっている、そんな生存の感覚の揺らぎを、都人を思う気持ちの中に、さりげなく滑り込ませているのだと考えたいと思います。自分が生きていられそうにないからこそ、大事な人の生き死にまでが思われてしまうのです。それくらい、彼らは危機にありました。自分たちの思いはもちろんのこと、さらに自分たちの実存そのものをも歌に託した表現を完成させることによって、彼らはまた危機を脱したのです。私たちは、心の中にうごめく、コントロールしがたい感情や情動によって、混迷の状態へと引きずり込まれる。けれど、その感情や情動をいったん言葉で表すと、ずいぶん気が楽になる。救われた感じがする。名付けられない感情に名前を与えることが、それをコントロールしうるのだ、と感じさせるからです。訳のわからない感情を支配下に置ける、しっかりとした自我を得た気がするからです。古代の昔から現代まで、どんなに文明が進んでも、人間が詩という表現手段を手放さない理由は、きっとそこにあるのでしょう。人間が生きる社会での詩や文学の持つ意味については、第三章でも「山月記（さんげつき）」などをもとに考えます。

感動が壁や殻を取り払う

それだけではありません。最後の「舟こぞりて泣きにけり」（船中が全部泣いてしまった）という言葉にぜひとも注目してください。この「舟」の中には、渡し守、つまり船頭も入っているはずですよね。武蔵・下総の地元の人が入っていておかしくない。むしろ、都にいるべき高貴な貴族の方が特異な存在であるに違いありません。いわば東国の普通の往来の人たちが含まれた船中の人が、こぞって皆、感動して泣いたというのです。事実かどうかを問題にすれば、そんなことはあり得ないでしょう。和歌が理解できたかどうかだって、疑問です。でもこういうふうに言うことで、和歌の持っている、大勢の人の心を動かす力が強調されるのです。船の中の人を感動させただけのようにも思いますが、彼らは偶然そこに居合わせた普通の人だったのですから、数多くの人たちも感動させるものだったのだろう、と自然と想像することになる、というわけです。一面でそれは、暴力的なまでの力でもありますし、民の心をコントロールするという点で、政治権力とさえ近いものがあります。このことは最後の第五章でお話しすることになるでしょう。言葉には、けっしてあなどれない力があるのです。もちろん、それは希望でもあります。

「男」は都では権力構造の中から弾(はじ)き出されてしまった人間でした。いわば政治的・社会的な敗北者です。「山月記」の主人公李徴(りちょう)などと同類といってよいでしょう。ただし李徴は、結局多くの人を感動させる詩は作れませんでした。一方、「男」の歌は、人々を感動させました。李徴は虎になりました。では「男」は何になったのでしょう。もちろん、本文には書いてありません。けれど、人間として大きく成長したことは間違いないでしょう。人を感動させ、動かすことのできる和歌を詠んだからです。

感動とは、心の揺らぎと基本的には同じもので、それがはっきりと方向づけされて現れたものです。心の揺らぎは私たちの心の壁を壊します。それが感動という肯定的な形をとると、自分がこれまでよりどころにしていた土台や壁を、自分から進んで取り払おうとさえします。

私たちが人と強く、深くつながれるのは、このように自分だけの土台や壁を取り去るからです。でないと自分の殻に閉じこもったままになってしまいます。

理想と現実の話題に戻りましょう。「男」は理想を現実のものにできた、といってよいのではないでしょうか。あるいは、理想を現実化する方法があることに気づいた、といった方が正確かもしれません。彼らは、自分の居場所がない、と思って東国に旅立ったのでした。自分を認めてもらいたいのに認めてもらえないという思いを抱えていた、ともいえます。そんな彼が苦境の果てに、とうとう人に認められる和歌を作ったのです。結果的に千年の時を越えて、人々に迎え入れられました。不朽（ふきゅう）の名作といわれるようになった。彼の理想は十分に達成されたといってよいでしょう。逆にこうもいえるでしょう。苦しみ・悲しみを乗り越えて理想を実現させたいという心情を、これまでの歴史を生きた無数とも思われる人々は、「男」に託してきたのだ、と。人と深くつながることなしには、理想は実現できません。人々の思いが集まる時、理想は理想らしい輝きを放つのです。私たちが国語という科目で学ぼうとしているのも、そういう、自分の壁を取り払い、人とつながり、理想を実現するための道筋なのです。

第二章　言葉で心を知る

平野多恵

わたしの心は、どうやったら見える？

どうして、こんな気持ちになるんだろう。そんなふうに思ったことはありませんか？すごくやりたいことがある気がするけど、何だろう？　でも何がやりたいのかは、わからない。

今から三十年前のことです。十六歳のわたしの中に、こんな疑問が浮かんでは消えていました。誰かと率直に話したかったけれど、何を、どう、話していいのかわからなかった。あたり一面に田んぼが広がる田舎の高校で、もやもやした気持ちを持てあまして毎日をすごしていました。

なんのために勉強するのかわからず、「どうして勉強しなきゃいけないんですか」と先生に聞いたこともあります。でも「つべこべ言わずに、とにかく勉強しろ」と言われて、かえって満たされない気持ちになるばかりでした。もしかしたら、あなたも、先生や家族とそんなやりとりをして、がっかりしたことがあるかもしれません。

自分がわからなくて、もどかしく思っていた時、国語の教科書で言語学者の外山滋比古さんの文章に出会いました。外山さんの本を読むうちに、人は言葉がなければ考えることはできない、そう気づかされました。そして、日本の文化も日本語を通してつくられて、その環境で自分は成長してきたのだから、その言葉や文化を学べば自分のことも理解できるのではないかと思ったのでした。

それで、大学では日本語と日本文学を研究する国文学科に入りました。でも入学してみたら、大学で学ぶことと自分の関心がどうつながるのかわからず、授業には身が入りませんでした。今になってみると、自分のアンテナの感度が鈍く、授業の内容を自分ごととしてキャッチできなかったのだとわかります。

それでも、自分を知りたいという気持ちはずっとあったので、「自分探し」の旅は続きました。そして、その途中でことあるごとに試したのが「占い」です。星占い、手相、タロット、易、四柱推命、姓名判断、前世占い等々。どこかで誰かに「あなたはこんな人ですよ」と言ってもらいたかったのです。

でも残念ながら、それらはどれも少し当たっているけど、これはやっぱりわたしじゃない、と思うのでした。そんなことを繰り返すうち、どんな占いも自分が納得できなかったら受け

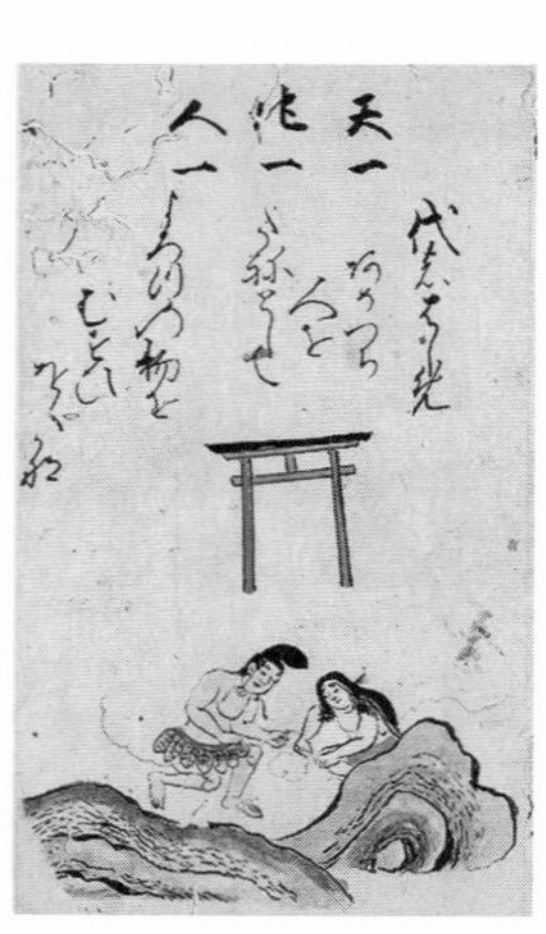

図2・1　『歌占』（公益財団法人阪本龍門文庫所蔵）

入れられないし、満足することもないと気づくようになりました。

とはいえ、占いへの関心はなくなりませんでした。そして、十五年ほど経ったある日、室町時代のものと伝わる和歌占いの本『歌占』（図2・1）に出会いました。試しに占ってみたら、その時の状況にぴったりの歌が出たのです。もやもやした気持ちに輪郭ができた気がして、これだ！と思いました。自分を知りたいという気持ちと、自分を育んできた日本の言葉と文化が出会った瞬間でした。

和歌は五七五七七、三十一文字からなる日本独自の詩歌です。千年以上も前から詠みつがれてきました。ですから、和歌の言葉には、長いあいだ積み重ねられてきた多様なイメージが含まれています。たとえば、歌に詠まれる「月」は、春はおぼろげで優しく、夏は涼しく、秋は明るく澄みきって、冬は凍てついて冴えたイメージです。水に映っては消えるはかなさが詠まれることもあれば、永遠の真理をあらわすこともあります。

つまり、和歌を読むと、そこに幾重にも織り込まれた象徴的な意味の世界に、おのずと触れることになるわけです。そして、和歌占いとは、そうした豊かなイメージが凝縮された世界に現状を重ねて、自分だけの感性や思考を言語化することなのでした。その一連の行為や思索こそが、ずっと知りたかった心に出会う手がかりだったのです。占いにひかれ続けたのは、そこに心を知るヒントがあると無意識に感じていたからなのでしょう。

さらに、和歌占いの結果を自分のものにするためには、想像力を働かせて、歌を解釈しなければなりません。そうやって歌を解きほぐそうとする時に、日本の言葉や文化の豊かな土壌に触れながら、言葉の力を鍛えることもできるのです。

もし、今、十六歳のわたしに話しかけることができたら、声を大にして「和歌占いで自分がわかるし、国語の力も磨くことができるよ！」、そう言いたいと思います。

この章では、占いを通して自分の心にわけいって、奥底にある気持ちを知るところに注目していきます。

では、これから、その方法を一緒に体験していきましょう。

占うって何？――隠されたものをあらわす

和歌占いがそんなにすごいものなら、「早くやってみたい！」、そう思った人もいるかもしれませんね。でも、その前に、そもそも占いとは何かについて、少し話をさせてください。

あなたは「占い」にどんな印象がありますか。

不思議、いかがわしい、神秘的、楽しい、紋切型、当たる、当たらないなど、人によって占いに対するイメージは異なります。テレビや雑誌の占いをよく見る人もいれば、星占いなどで同じ星座の人が同じ運勢なのはおかしいと考える人もいるでしょう。不思議に心ひかれる人もいれば、嘘っぽく感じて敬遠する人もいると思います。

初心にかえって、「占」という字の成り立ちから考えてみましょう。

「占」は、「卜」＋「口」を合わせてできた文字です。「卜」は「うらない」の意味。今から三千年以上前、中国殷の時代、亀の甲羅や動物の骨、いわゆる甲骨を焼いて、そのひび割れの形で吉凶を占っていました。その形をかたどったのが「卜」です。

「口」の意味は、いくつかの説がありますが、『説文解字』という二千年ほど前につくられた中国最古の漢字字典に、「兆を視て問ふなり」と書かれています。占いの結果としてあらわれた「兆(しるし)」を見て、その意味を問うというのです。ここから、「占」の意味は、占いの結果を口で問うこと、あるいは口で説明することだといわれます。

「占い」は、ずっと昔からありました。天変地異や流行(はや)り病(やまい)の原因、戦争の勝敗など、国の根本にかかわることについて、神の意志にかなっているかどうかをうかがい知るためにおこなわれていました。そのため、占いというと超自然的な印象が強いかもしれませんが、実は人間の心と深くかかわっているのです。

それを「占」という字の読みから考えてみましょう。「占」は何と読むでしょうか。

音読み、つまり中国由来の漢字の読みかたでは「セン」、日本の読みかたである訓読みでは「うら」ですね。この「うら」に「心」という意味があるのをご存知でしょうか。

『広辞苑』には「うら【心】」の意味が、「(表に見えないものの意) こころ。おもい。」と記されています。

なぜ、「うら」が「心」を意味するのでしょう。

「表に見えないものの意」とあるように、「うら」は「裏」と語源が同じと考えられています。ものには表と裏があって、表のものは目に見えますが、裏にあるものは目には見えません。それは心も同じです。心の中は目に見えないので、心が「うら」と呼ばれるのです。

この「うら」に接尾語「なう」をつけたのが、「うらなう」という動詞です。名詞の「商（あきない）」が動詞では「商う」になるように、「〜なう」は前の言葉を動詞にする働きがあります。つまり、「占う」は、占いをすること、裏に隠されたものを表にあらわし、見えないものを見えるようにすることなのでした。

言霊の力――歌の呪文とお告げ

人の心を知りたいと思うのは、どんな時でしょうか。

誰かを好きになった時、相手が自分をどう思っているかを知りたくなったことはありませんか。片思いの相手の本心が気になって、インターネットや雑誌の占いに手を伸ばしたことのある人は多いでしょう。

今から一三〇〇年ほど前、奈良時代の人々にとっても占いは身近なものでした。日本最古の和歌集である『万葉集』には、夕方に占う「夕占（ゆうけ）」の歌が十首も収められています。そのほとんどが恋占いです。

どのようにして占ったのでしょうか。一首、見てみましょう。

言霊の八十の衢に夕占問ふ占まさに告る妹は相寄らむと(万葉集・巻十一・作者不詳)
——言霊が満ちる分かれ道で夕占をすると、占いはまさに告げた。いとしいあなたはわたしになびくだろうと。

「言霊」は言葉に宿る不思議な力、「八十の衢」は四方八方に枝分かれした道のことです。

「夕占」は、夕暮れ時に、ほかの世界への境界となる分かれ道でおこなわれました。このような境界的な時間や場所では、言霊が力をもつと考えられていました。

夕方は「たそがれ時」「逢魔が時」ともいわれます。「たそがれ」の語源は「誰そ彼」。あたりが薄暗くなって人が見分けにくくなり、「あれは誰？」と思うことから生まれた表現です。「逢魔が時」は、その字の通り、魔物に出逢う時間です。

空の色が刻々と変わる幻想的な時間に、異界につながる分かれ道で「あの人がなびくだろう」という声が聞こえてきたのでした。「占まさに告る」というのは、期待した通りのお告げがあったということです。

夕占は「辻占」ともいわれ、道の神の占いと考えられていました。それは、占いで唱える呪文の歌からわかります。『二中歴』という十三世紀前半にできた百科事典に、その歌と夕占の方法が書いてあります。歌を見てみましょう。

ふなとさへ夕占(ゆうけ)の神に物問(ものと)はば道ゆく人よ占正(うらまさ)にせよ

――道の神、道祖神、夕占の神に物をおたずねする時は、道行く人よ、占いの言葉が的中するようにしてください。

夕暮れの道辻で神の言葉を聴こうとする時、それを伝えてくれる通行人に、正しく告げてほしいと願う歌です。冒頭の「ふなと(岐)」は道が分岐(ぶんき)する辻、「さへ(塞へ)」は道祖神。「ふなと」の神も「さへ」の神も道の神さまで、それが夕占の神でもありました。その神に何かをたずねた時、お告げをもたらしてくれるのが「道ゆく人」というわけです。

次に夕占の方法をご紹介しましょう。

①道に出て「ふなとさへ」の歌を三回唱える。
②自分の周囲に米を撒(ま)き散らす。
③櫛(くし)の歯を三回鳴らす。
④米の散らばった範囲に入ってきた人の言葉を聞く。

『拾芥抄（しゅうがいしょう）』という十三世紀後半にできた百科事典には、夕占で鳴らす「黄楊（つげ）の櫛」だと書いてあります。「黄楊」は神の「お告げ」に通じます。通りがかりの人の言葉を神のお告げとして聞き、自分のたずねたいことに照らし合わせて解釈したのです。

夕占にかぎらず、「和歌」はしばしば呪文、おまじないに使われました。短く覚えやすいのに加えて、神さまに通じる特別な言葉だったからです。和歌は、神に人の願いや祈りを届けるだけでなく、神のお告げを人に示す時にも、もちいられました。

神社のおみくじに和歌が書いてあるのを見たことがありますか？

その歌が神さまからのお告げです。そして、和歌のおみくじのルーツの一つに和歌占いがあります。昔は「歌占（うたうら）」といわれていました。続いて、それを見ていきましょう。

こんなふうに占った――室町時代の和歌占い

歌占は、十二世紀の後半、平安時代の終わり頃からおこなわれていました。お告げの歌は一回きりのものでしたが、室町時代には、占いのための歌があらかじめ用意され、そこから一首を選ぶようになりました。くじ形式の歌占です。

歌占は、どのようにおこなわれていたのでしょうか。

図2・2　「歌占の図」『伊勢参宮名所図会　巻五』（筆者所蔵）

お能の「歌占」には、その様子が詳しく描かれています。能楽を大成した世阿弥の子、観世元雅（?〜一四三二）の作品です。

その内容はこうです。伊勢の神職であった男巫、つまり神と人とのなかだちをするシャーマンが、霊地を巡りながら歌占をしていました。図2・2にあるように、和歌の短冊が結ばれた弓を持っています。占ってもらう人は一番はじめに触れた短冊を選び、そこに書かれた和歌を占い師が解釈します。

この男が加賀国（現在の石川県）の白山のふもとで歌占をしていた時、実の父を探す少年・幸菊丸と病に悩む年老いた父を持つ男が一緒にやってきました。そして、この連れの男が父の病について占った結果が次の歌でした。

北は黄に南は青く東白　西紅にそめいろの山

――北は黄色に、南は青く、東は白、西は紅に蘇迷盧の山が染められている。

この歌は、山の東西南北が、それぞれ違う色に染まっている様子を詠んでいます。見る角度によって色が異なる不思議な山ですね。この「そめいろの山」は、山が四色に染まる意の「染め色」に、仏教の世界の中心にあるとされた「蘇迷盧」の山が掛けられています。

占い師である男巫は、この「そめいろ」に注目しました。「そめいろ」に漢字を当てると「蘇命路」。つまり「命が蘇る路」なので、危篤だが、一命をとりとめて回復するから安心してよいと読み解いたのです。

この例から、「そめいろ」という音の共通性から和歌を解釈しているのがわかります。悩みにあわせて歌を臨機応変に解き明かし、説得力のある説明ができるかどうか。それが占い師の腕の見せどころでした。

こうした音の一致を、こじつけだとか、単なる偶然だとか言う人もいるでしょう。とはいえ、いくつもの和歌の中から一首を選び、その歌が自分の状況に一致する。その偶然こそが重要です。引いた歌を自分に意味のあるものとして受け止め、それが現状とどう関係するかを考えながら読む。だからこそ、共通点が見つかるのです。

言いかえれば、この主体的なかかわりこそが、占いの結果を自分のものにするために不可欠なプロセスといえるでしょう。

占う前に大切なこと――〈問い〉を立てる

占いの結果を自分のものにするために、もう一つ重要なポイントがあります。それは占う前に問いを立てて深めることです。

問いには、自分の心を知る手がかりが潜(ひそ)んでいます。和歌占いを早く試してみたいでしょうが、あせらないでください。質問を念入りに準備すると、占いの結果がもっと有意義になるのですから。

では、質問づくりのレッスンをはじめましょう。和歌占いのポイントは、引いた歌を自分の悩みに合わせて読み解くこと。そのためには、具体的な質問のほうが詳しく解釈できます。質問はできるだけ明確にしてください。

たとえば、「わたしは幸せになれますか?」という漠然(ばくぜん)とした質問だと、歌の解釈がぼんやりしてしまいます。せっかく占うのに、結果がよくわからないのは、もったいないですね。

どうやって具体的に考えたらいいの? と迷う人もいるでしょう。考えかたを説明します。

もし「幸せになれるかどうか」を知りたいなら、まず自分にとって何が「幸せ」かを考えてみるのです。

ひそかに好意を寄せている人と両思いになるのが「幸せ」だとすれば、「あの人と両思いになるには、どうしたらいいですか」とたずねます。さらに深掘りすることもできます。話したことのない隣のクラスの人と両思いになりたい、どうやったら話ができるだろう、思い切って話しかけたいけれど、かえって嫌われてしまうかもしれない。そんな心配があるのなら、「隣のクラスの気になる人に話しかけて関係を進展させるにはどうしたらよいですか」とたずねてみましょう。

あるいは、お金持ちになるのが幸せだと思うなら、まずは、どのような人がお金持ちかを考えてみましょう。できるだけ多く例を集めて検討し、そこから取捨選択すると、質問の焦点が絞られてきます。

たとえば、友だちの家はお父さんが医者で裕福そうだ。医者は給料が高いし、社会にも貢献できて憧れる。医者になるには医学部に入らなければいけないから、医学部を志望校にしようということになります。

そこで「医学部に入れますか」とたずねてみるのもよいですが、医学部に入るには、成績はもちろん、学費も重要です。一人で決められることではありませんね。まだ質問がぼやけています。

実は、これは昔のわたしなのですが、「心」に興味があったことから精神科医になりたいとひそかに思っていたことがありました。親にそれとなく言ってみたところ、「私立大学の医学部は学費が高いから無理、国公立大学なら……」という答えでした。ここで一念発起して医学部に向けて勉強に打ち込もうという気持ちになれば、「国公立大学の医学部に入れますか」という質問になります。自宅通学か親元を離れて暮らすかでも変わりますから、さらに志望校は絞られていくでしょう。

わたしの場合、医者はぼんやりとした憧れに過ぎず、理系科目も苦手でしたから、自分の状況を冷静に考えた時点で候補から消えました。その代わりとして同じく「心」にかかわる臨床心理士(りんしょうしんりし)はどうだろうと考えはじめました。このようにしていくと、お金持ちになりたいという当初の願いからずれてしまうのですが、それは、その願い自体が切実なものではなかったということです。

そうして心理学科に入りたいという気持ちが強くなったなら、心理学科のある大学を志望校にして、「X大学の心理学科に入れますか。入るためにはどうしたらよいですか」とたずねることになります。あるいは、お金持ちになるのが譲れない条件なら、それを実現するためのほかの方法を調べて質問を絞り込んでいきます。

こうやって自分にふさわしい問いを考えるうち、心の底に隠れていた気持ちや目の前の課題が少しずつ見えてきます。よい問いが、あなたを先に進ませてくれるのです。

質問だけで、こんなに考えなくちゃいけないのと思ったかもしれませんね。考えるのが難しそうだなあと感じた人もいるでしょう。そんな時は、できるところまでで大丈夫。

問いを深めるのは重要ですが、だからといって考えるのが難しいから占うのをやめてしまうのは、もったいない。「悩むより、占え」です。まずはやってみてください。結果の歌を通して、自分が何を知りたかったのかが逆に見えてくることもあります。

和歌占いにチャレンジ！

さあ、いよいよ和歌占いにチャレンジしてみましょう！

これから紹介するのは、江戸時代に出版された「小倉百人一首」の占いです。百人一首は、奈良時代から鎌倉時代までに活躍した百人の名歌を各一首ずつ収めた歌集。百人一首カルタでおなじみですね。

江戸時代には、版木(はんぎ)に文字や絵を彫って印刷した本が多く出版されました。和歌や占いの本も多くつくられ、その時々の流行も取り込まれました。その一つが百人一首と占いが結びついた『百人一首倭歌占(やまとうたうら)』(天保十四(一八四三)年刊)です。

この本は、書物占いと易の八卦(はっけ)占いを合わせた方法で占います。

「書物占い」は英語ではビブリオマンシー。西洋では、聖書などの聖典のページを開いたところにある文章で占います。

「八卦占い」は数の操作に基づく占いで、「八卦」は、易占(えきせん)で陰と陽のしるしを組み合わせてできる八種の形のことです。「当たるも八卦、当たらぬも八卦」ということわざがありますね。八卦は占いの代名詞になるほど親しまれていました。江戸時代の人にとって、結果を八通りで示す八卦占いは、現在、テレビや雑誌で親しまれている十二星座占いのように、とても身近なものでした。

八卦占いも気になりますが、この本のテーマは「国語」です。さきほどのお能「歌占」のように、歌そのものを解釈する占いに挑戦してみましょう。『百人一首倭歌占』にならって、書物占いの方法で一首と出会い、そこから自分の心を知る冒険をしてみるのです。

いったい何が見えてくるでしょうか。

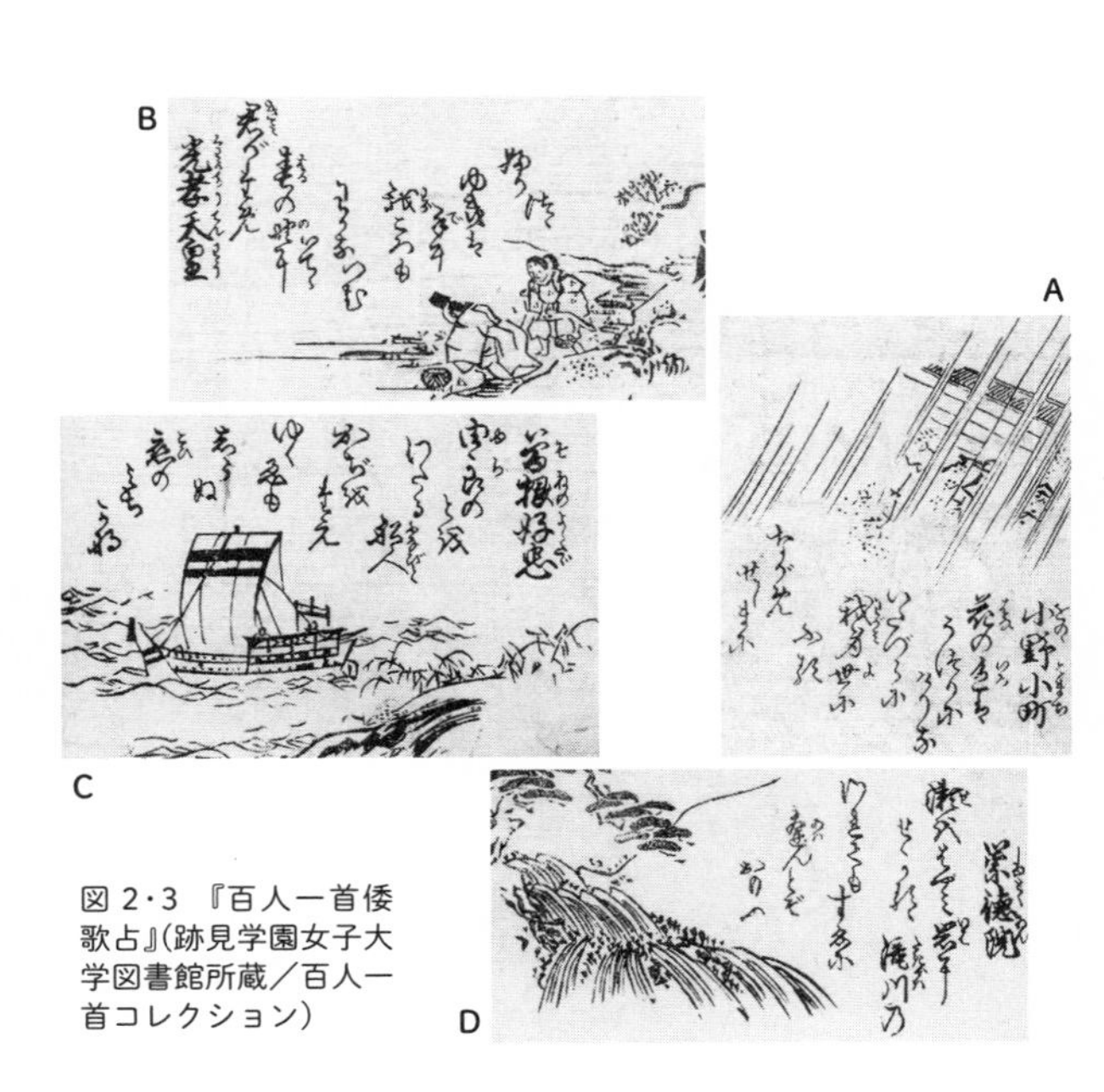

図2・3『百人一首倭歌占』(跡見学園女子大学図書館所蔵/百人一首コレクション)

占いのやりかたは次の通りです。

(1)占って知りたいことを質問の形で具体的に考えます。

(2)心を落ち着けて自分にふさわしい歌が引けるよう祈ります。

(3)祈り終えたら歌が書かれた絵図(図2・3)を開きます。目を閉じて集中し、直感で一点を指さして目をあけます。

(4)指で押さえたところから一番近くにある歌が、質問に対する答えです。

(5)答えの歌を所定の紙(図2・

質問：

和歌：

質問に和歌を重ねて読んでみて、どのように感じましたか、何を考えましたか。自分の解釈を書きましょう。

挿絵を見て感じたことや気づいたことを書きましょう。

図2・4　答えの歌を記入してみよう！

4)に記入してください。じっくり読んでから、歌の意味、言葉、挿絵(さしえ)に着目して感じたことや考えたことを書きます。

(1)〜(5)を頭に入れたら、いよいよ占ってみましょう。

さあ、目を閉じて、えいっ！

あなたの指は、A〜Dのどの歌の近くにありましたか？

A〜Dの歌の現代語訳・キーワード・テーマを示しておきました。解釈の参考にしてください。

A　花の色はうつりにけりないたづらにわが身世にふるながめせし間に(小野小町)
――桜の花はむなしく色あせてしまった。春の長雨が降って物思いをしていたあいだに。
キーワード：花・色・うつる・いたづら・わが身・世・ふる・ながめ・間
テーマ：旬・時間の経過・物思い・衰退・無為

B　君がため春の野に出でて若菜摘むわが衣手に雪は降りつつ(光孝天皇)
――あなたのために春の野原で若菜を摘んでいます。その私の袖に雪が次々と降ってくるのです。
キーワード：君・春の野・若菜・衣手・雪・降る
テーマ：贈りもの・思いやり・献身・厄除け・長寿

C　由良の門を渡る船人梶を絶え行方も知らぬ恋の道かな(曾禰好忠)
――由良川の河口を漕ぎわたる舟人が操船のための櫂を失くして行く先もわからず漂う

ように、恋の行方もどうなるかわからないのだなあ。

キーワード：由良の門・渡る・舟・梶・絶える・行方・知らぬ・恋の道

テーマ：移動・喪失・翻弄・目的・方向

D　瀬をはやみ岩にせかるる滝川のわれても末に逢はむとぞ思ふ（崇徳院）

――川の流れが早いので、岩にせき止められる急流が二手に分かれてもまた一つになるように、あの人と別れても将来きっと逢おうと思う。

キーワード：瀬・はやい・岩・堰く・滝川・われる・末・逢う

テーマ：激情・強い決意・別れ・合流・再会・必然

占ってみて、どうでしたか？　歌と自分の状況を重ねて解釈できたでしょうか。はじめは、戸惑うかもしれませんが、歌を何度も読み返すうちに、つながりが見えてくると思います。続いて、さきほどの悩みを例に読み解いてみましょう。

歌を読み解く――見えない心と見える景色

さっそく歌を読み解いていきます。まずは第一ステップ。百人一首には恋の歌がたくさんありますから、恋愛の悩みからはじめます。

「隣のクラスの気になる人に話しかけて関係を進展させるにはどうしたらよいですか」という質問で占うと、どうなるでしょうか。

引いた歌は、Ｄだとしましょう。

瀬をはやみ岩にせかるる滝川のわれても末に逢はむとぞ思ふ

まず意味を確認します。波線部①「瀬をはやみ〜滝川のわれても」は、急流が岩にせき止められて二手に分かれる様子が詠まれています。傍線部②「われても末に逢はむとぞ思ふ」は、分かれた川が合流する様子に、離れ離れの二人がふたたび出逢う状況が重ねられています。その自然と人間のありようが「われても」で結びついているのです。

この「われても」につながる①のように、ある語句を引き出すために具体的なイメージを描きだす言葉を「序詞（じょことば）」といいます。

歌の眼目は、傍線部②の、たとえ離れ離れになっても最後にはかならず結ばれようという強い決意です。とはいえ、どんなに強く想っても、その気持ちは目に見えません。序詞の役割は、それを見える形で想像できるようにすることです。

挿絵に描かれたような急流が、岩にぶつかり、それを乗り越えてふたたび一つになるところを想像してみてください。流れが砕け散っても、その勢いはとどまることなく、また一つになる、そのくらい強い気持ちです。つまり、序詞は、見えない心を見える景色であらわすものといってよいでしょう。

あれ？　この考えかた、どこかで聞いた気がしませんか。

はい、そうです。「占い」ですね。

占いとは、裏に隠れたものを表にあらわして見えるようにするものでした。今の例では、和歌の序詞が、その役割を果たしています。後で説明する掛詞（かけことば）もそうですが、和歌の技巧には、見えない心を自然の風景に重ねて可視化する仕掛けが隠されています。つまり、歌に心象風景が詠みこまれている。これは和歌に備わる大きな特徴なのです。

では、いよいよ解釈に入りましょう。さっきの質問への答えとして、この歌を引いたら、どう読み解きますか？

上（かみ）の句からいえるのは、この急流のように、当たって砕けろという気持ちで思い切って話しかけてみるということでしょう。岩にぶつかって砕けていますから、最初はうまくいかない可能性もあります。とはいえ、そこであきらめたら終わりです。この恋を成就したいなら、

「われても末に逢はむ」という強い決意は欠かせないということになります。

次は、言葉に注目してみましょう。和歌に詠まれる語は「歌ことば(歌語)」といわれ、日常語とは異なる特別なものでした。千年以上も歌に詠まれ続け、多様なイメージが一語に蓄積されています。俳句の「季語」は、この歌語の意味がさらに凝縮されたもの。このような言葉には、何百年、千年もの時間をかけて醸成された意味が深々と隠されているのです。

冒頭の「瀬」について考えてみます。「瀬」は急な流れや川の水の浅いところです。「浅瀬」や「川瀬」という言葉もありますね。古くは『万葉集』巻十にある七夕の歌「天の川去(こ)年(ぞ)の渡りで移ろへば川瀬を踏むに夜(よ)そ更(ふ)けにける(天の川の去年渡った瀬が変わってしまったので、浅瀬を探しているうちに夜が更けてしまった)」のように、七夕の日に天の川で彦星が織姫と逢うために渡るところとして詠まれました。ほかにも瀬を渡って恋人に逢うと詠む歌は多くあります。「逢瀬(おうせ)」という表現も、そこから生まれたのでしょう。

これをふまえると、「瀬」という言葉から、彦星が天の川を渡って織姫に逢う、つまり恋が成就するイメージが湧いてきます。とはいえ、逢瀬は七夕なので「一年に一度」。とすれば、相手に話しかける時の注意点として「訪れたチャンスを大切に生かす」ことがあげられます。

さらに、「瀬」は、その清らかな流れが歌に詠まれました。「淵」と違って、水が淀むことはありません。とすれば、嘘いつわりのない「清らかさ」や「誠実さ」も恋を進展させるための重要なポイントとしてあげられそうです。どんどん解釈が広がっていきますね。

このように、歌占では、言葉のイメージの豊かさが解釈の源泉となって、三十一文字から多くの意味が湧き出してきます。歌ことばを辞書で一つひとつ調べれば、そのぶん解釈の糸口が見つかりますし、その項目にほかの和歌や似た意味の語が載っていれば、そこからさらにイメージをふくらませられます。辞書は、無数の言葉が網の目のようにつながりあった魔法の道具なのです。

次に第二ステップです。

この歌で、恋愛以外のことを読み解いてみましょう。「Z大学の心理学科に入るには、どうしたらよいですか」という質問で考えてみます。

障害があっても強い決意で乗り越えられるという意味から、気持ちが高まって志望校に正面から向き合いたいと思ったとしましょう。そうしたら、そこで障害になっているのは何か、どうやったら乗り越えられるかに思いを巡らせるのです。いずれにしても、強い想いは、あなたの願いをかなえる大きな原動力となるでしょう。あるいは、この歌を読んで、Z大学の心理学科に対して強い決意は持てないからやめようというのであれば、それも一つの判断です。

こうやって、歌を通して現状を深く考えてみるのです。歌と向き合って深く考えれば、自分の置かれた状態がわかり、内面に少しずつわけいることができます。

ほかの歌でも考えてみましょう。さきほどと同じ恋の質問「隣のクラスの気になる人に話しかけて関係を進展させるにはどうしたらよいですか」で、Ａの歌を引いたとします。

花の色はうつりにけりないたづらにわが身世にふるながめせし間に

ご存知の人も多いでしょう。絶世の美女と伝わる小野小町の名歌です。春の長雨が降っているあいだに、桜の花の色はむなしく色あせてしまった。それと同じように、わたしの美貌も、物思いにふけっているうちに時が経って衰えてしまったというのです。

この歌では、色あせていく桜の花に、衰えゆく美しい女性が重ねられています。それを成り立たせているのが「掛詞」の技法です。第一章でも『伊勢物語』のカキツバタの男が駆使していましたね。この歌では、「ながめ」に、降り続く「長雨」と物思いに沈んで外をぼんやりと見る「眺め」が、「ふる」に、雨が「降る」と時が「経る」が掛けられています。

さて、この歌はどう解釈できるでしょうか。

キーワードは「花」「ながめ」「ふる」「いたづら」。和歌で「花」といえば、ほとんどが「桜」です。この歌には、華やかですが、あっという間に散る桜が詠まれています。「ながめ」は、長雨に閉じ込められて、物思いにふける人の様子です。

このイメージから考えると、話しかければ一瞬は「花」が咲くように盛り上がり、期待が高まるかもしれないけれど、「長雨」が降っているのだから、反応は芳しくないだろうと推測できます。それで自分の殻に閉じこもって物思いにふけり、時間が「ふる」、つまり時が経ってしまうと、「いたづら」に何も得られないまま終わってしまうことになるでしょう。

歌だけでなく、挿絵も解釈のヒントになります。『百人一首倭歌占』にかぎらず、歌占には挿絵がついていることが多いのです。春の長雨といえば穏やかな雨を思い浮かべますが、Aの歌の絵(図2・3)は雨が斜線で描かれています。

この雨、あなたには、どう見えますか?

雨を直線で描くのは、江戸の浮世絵でも定番でした。歌川広重の描いた「名所江戸百景」の一枚「大はしあたけの夕立」は、隅田川にかかる大橋の夕立が印象的に描かれた名作です

（図2・5）。Aの挿絵は春雨なのに、広重の夕立より激しく見えますね。とすれば、相手の反応が厳しいことを示しているのかもしれません。

せっかく占って、こんな歌が出たら、がっかりしてしまうでしょう。もし、この歌を読んで、話したこともない相手だし、声をかけるのはやめようと思うなら、あなたの気持ちはその程度だったということです。

それでもやっぱり声をかけたいと思うなら、こうしてはいけないというアドバイスとして読むこともできます。まず、声をかけたら冷たくされることを覚悟しておきます。実際に冷淡でも、それは折り込み済み、思ったより反応がよければラッキーです。期待した展開にならないことにショックを受けて引きこもらず、関係が続くように工夫しようということになります。

では、そのために、どうしたらよいでしょうか？

図2・5　歌川広重「名所江戸百景　大はしあたけの夕立」（1857年）（The Metropolitan Museum of Art, Joseph Pulitzer Bequest, 1918年）（36.5×24.3 ㎝）

これも歌ことばがヒントです。「花」は「実」と対比されて、うわべの華やかさや飾り立てた状態も意味します。花の美しさはすぐに衰えてしまう。とすれば、派手なだけの軽薄な言動や見栄っ張りは避けたほうがよいということになりますね。

それに対して、「実」は、これから芽が出て育っていく種。つまり、堅実な中身で勝負していくのがよさそうです。さらに、種が成長して花を咲かせるまでには時間がかかりますから、あせらず、じっくり関係を深めるのを心掛ければよいということになるでしょう。

最後に上級編として、「花」のイメージを調べて解釈を広げてみましょう。

桜は様々なイメージで歌に詠まれてきました。開花を心待ちにしたり、落花を惜しんだり。桜に心をうばわれて春はのどかな思いになれないと詠んだ「世の中にたえて桜のなかりせば春の心はのどけからまし」(『古今和歌集』在原業平)のように、桜はざわざわと落ち着かない気持ちをかきたてるものでもありました。

けれど、それだけ魅力のある花も、いずれは衰えてしまう。そう考えれば、相手の小さな変化に一喜一憂せず、落ち着いて向き合うのが大切だということになります。

このように、悪い結果に見えても、それをきっかけに自分の心を見つめていくと、前に進むためのアドバイスとして生きてくるのです。

序詞（じょことば）や掛詞などの和歌の技法は、外にある自然と内なる心を関連づけ、意味づけるものでした。だからこそ、心の奥に隠されたものを明らかにする占いとも相性がよいのでしょう。

和歌占いは無作為に選んだ一首で占います。おみくじやタロットカードなどと同じ偶然に基づく占いです。第一章では、掛詞や縁語（えんご）を存分にもちいた「かきつばた」の歌から「偶然の出会いに満ちた言葉のパワー」を感じましたね。

五十音図に代表されるように、音の数が少ないのが日本語の特徴です。そのため、一つの言葉に複数の意味が重なってしまう確率が高くなり、同音で意味の異なる「同音異義語」が多いのです。掛詞も、そういう日本語の特質から生まれたと考えられています。掛詞で自然と人間のありようが重なるのは、同音の多い日本語の宿命といってよいでしょう。

見えないはずの心が自然の景色と重なって、そのイメージが眼前に浮かんでくる。そう、それは和歌のヒミツです。そして、重層的な意味を秘める歌ことばを心の象徴として読み解く。それが和歌占いのコツなのでした。

心と言葉の深い関係――「むかつく」と「かわいい」の向こうへ

ここまで、占いを通して言葉と向き合い、心を知る方法についてお話ししてきました。問いを深めたり、歌を読み解いたりする時も、言葉が欠かせません。とすれば、あなたの中に言葉の引き出しがたくさんあって、必要に応じて自在に使いこなせたら、心の輪郭がもっとくっきりしてくるのではないでしょうか。ここでは、そんな心と言葉の関係について、視野を広げて考えてみましょう。

あなたは、悩みがある時、人に相談できますか？　それとも相談せずに、もしくは相談できずに一人で悩むタイプですか？

高校生のわたしは、相談できないタイプでした。相談しても、はぐらかされたり、悩んでいることを笑われたりして、真面目に受け止めてもらえないだろうと思っていました。要するに、自分をさらけ出して傷つきたくなかったのですね。ふりかえってみると、当時のわたしには目に見えない気持ちや考えを言語化する力がなかったのです。だから、人に悩みを打ち明ける勇気もありませんでした。

自分のことなのに言葉にできないのは、なぜでしょう。

それは、自分の気持ちがわからないからです。わからなければ言語化できるはずがありません。でも、それをなんとか表現しようと試行錯誤(しこうさくご)する中で理解できることもあるでしょう。チャレンジする価値はあります。

ダブル・リミテッドという言葉を聞いたことがありますか。子どもの頃に複数の言語を使用する環境で育ち、母語の習得が十分でない場合に、深い思考ができなくなってしまう問題です。日本で生まれ育った日本人を両親にもち、九歳の時に親の仕事の都合でアメリカにやってきて、現地で高校生になった人がいます。家では日本語、外では英語を話し、日英のバイリンガル。うらやましいと思うかもしれませんが、母語の習得が十分でないと、もう一方の言語の力も育ちにくく、日常的なことはわかっても、ものごとを深く考え抜いたり、抽象的で難解な問題を思考したりできなくなる場合があります。

これは、思考が言語に支えられていることを示しています。人間は、言葉を通してものごとを考えます。だから、自分が使う言葉の範囲をこえては思考できないのです。

第五章には、国籍やルーツにかかわらず、日本語を根幹として生きる「日本語人」という考えかたが紹介されています。どんな言語でも、自分の言葉が確立されていないと、心もぼやけてしまう。その一方で、目の前の言葉と日々格闘していけば、自分が育てられていくのです。

たとえば、何かにむかついたとしましょう。自分の中に「むかつく」という言葉しかなければ、それ以上の気持ちは把握できません。だから、気持ちを抑えきれずキレてしまう。語彙力があれば、自分がなぜむかついたのかを分析し、どんな気持ちか伝えられるのではないでしょうか。

「太ってるね」と人から言われてむかついた場合を考えてみましょう。

スタイルのよい人から言われたのなら、その人に嫉妬して不愉快に思ったのかもしれません。太っているのを気にしていると相手が知っているなら、わざわざ言うなんてひどい、傷つけようとしていると感じて憤慨したのかもしれません。そんなことを面と向かって言う人を軽蔑する気持ちもあるでしょう。

このように、なぜ「むかついた」のかを把握できたら、それを相手に伝えて、そんなふうに言わないでほしいと伝えることもできるのです。

この時、言葉は、あなたの武器になります。第一章で、『伊勢物語』の男が武器としたのは「和歌」でしたが、それにかぎらず、いつも使っている「言葉」そのものが武器といえるでしょう。

では、武器をレベルアップするには、どうしたらよいでしょうか。

おすすめは、辞書、とくに類語辞典を使って語彙力を増やし、表現の幅を広げることです。

まず、「むかつく」を類語辞典で調べてみましょう。「むかつく」は、「しゃくに障る」、気に入らないことがあって腹が立つという意です。近い意味の語に、「おこる」「いかる」「気に障る」「むくれる」「ふくれる」「気色ばむ」「腸が煮えくり返る」「腹の虫が承知せぬ」「八つ当たり」「激怒」「憤る」「悲憤」「嘆く」などがあります。

「おこる」と「いかる」は、どちらも「怒る」と書きますが、「おこる」は興奮して気を荒くする意のほか、叱るという意味もあります。「いかる」には叱る意味はありませんが、「おこる」にはない角張っているという意があり、「肩をいからせて歩く」などと使います。「むくれる」は怒ってプンとする、「ふくれる」は機嫌を悪くして、ぷうっとした顔をする。「憤る」は恨(うら)んで怒る、そこに悲しみが加わったのが「悲憤」です。「怒り」の表現も、いろいろありますね。

こうやって、似た意味の言葉を見ているだけでも、自分の「むかつく」の正体を考える手がかりになるのではないでしょうか。言葉が、心を育てるのです。

言葉は今を生き抜く武器。その鍛えかたを、感情にまつわる動詞「むかつく」を例に説明しました。その力を磨くには、具体的に語ることも欠かせません。ありふれた言葉が説得力を持つようになるからです。

世界の共通語となった形容詞「Kawaii（カワイイ）」を例に考えてみましょう。Kawaii は、日本のアニメ、ファッション、キティちゃんなどのキャラクターを通して、今や世界中で使われています。写真を共有するSNSのInstagramで、二〇二一年五月現在、「#(ハッシュタグ)かわいい」は二三一二万件、「#kawaii」は五一一四万件もの投稿がヒットします。アニメ、イラスト、動物、若い女性、コスプレをする人、キャラクター商品、お菓子、お花など、色とりどりの写真がずらりと並んで壮観です。

和英辞典で「かわいい」を調べると、cute, lovely, pretty, little といった単語が出てきます。一方、「#kawaii」には、真っ黒な服に身を包んだ神秘的な人や、モンスターの絵のタトゥー、水着姿の女性なども含まれているので、「#kawaii」の意味する範囲のほうが広いとわかります。

「かわいい」は、若い女の子は何を見ても「かわいい」しか言わないと揶揄(やゆ)されるくらい便利な言葉です。でも使いやすいからといって、それだけを連発していてよいのでしょうか。

このひとことで、わかったつもり、言ったつもりになってしまいますが、考えないで済む、楽な言葉ばかり使っていると、武器は決して強くなりません。

「かわいい」の先に進んで、自分なりの感じかたを知り、しっくりくる言葉をつかむには、どうしたらよいでしょうか。

そのヒントが、千年以上前に書かれた清少納言の『枕草子（まくらのそうし）』にあります。国語の教科書でもおなじみの「うつくしきもの」の章段です。

古語「うつくし」の意味を確認しておきましょう。「うつくし」は、古くは妻や子どもなど、家族へのいつくしみの情愛を意味しました。時代とともに語義が広がり、いとおしいという慈愛の気持ちから、幼い者や小さいもののかわいらしさ、さらには自然や物などの美一般、きちんとして整っている状態や好ましい印象のものにも使われるようになりました。意味する範囲が広く、小さくてかわいらしいものに使う点で、現代語の「かわいい」に通じますね。

『枕草子』「うつくしきもの」は、「〜もの」ではじまり、様々なものごとを列挙する「物づくし」の章段です。清少納言が「うつくし」と感じるものが書き連ねられているだけですが、とても具体的に書かれています。それを読むうち、彼女が何を「うつくし」と思っていたのか、その感性がわかってきます。

ここでは、よりわかりやすくなるよう、改行を多く入れて読んでみましょう。

うつくしきもの。

瓜にかきたるちごの顔。

雀の子の、ねず鳴きするにをどり来る。

二つ三つばかりなるちごの、いそぎてはひ来る道に、いとちひさき塵のありけるを目ざとに見つけて、いとをかしげなるおよびにとらへて、大人などに見せたる、いとうつくし。

頭はあまそぎなるちごの、目に髪のおほへるをかきはやらで、うちかたぶきて物など見たるも、うつくし。


最初は、瓜に描いた子どもの顔。甘くみずみずしい瓜と、あどけない子どもの顔は、ほほえましい組み合わせです。次から描写がどんどん具体的になっていきます。

まずは、チュッチュッと呼ぶと雀の子がピョンピョン近づいてくる様子。

次に、二、三歳の子どもが急いでハイハイしてくる途中で小さなチリがあるのを目ざとく見つけて愛らしい指でつまんで大人に見せる様子。

最後に、おかっぱ頭の子どもが目に髪がかぶっているのを手で払わず、そのすきまから顔を傾けて物を見ている様子。「頭はあまそぎなるちご」は、髪を払いあげもしないのですから、まだ幼さの残る少女でしょう。「あまそぎ」は、肩のあたりで切りそろえた尼さんのヘアスタイルですが、五、六歳の少女もこの髪型をしました。

これらを読むと、どれも情景が浮かんできます。そして、そこから清少納言の「うつくし」は、あどけない存在が一生懸命に何かしようとしている様子をいうと理解できます。

順番にも注目してみましょう。雀の子、二、三歳の幼児、おかっぱ頭の少女と、小さい順に並べられているのに気づいたでしょうか。何となく列挙されているのではなく、よく考えられた文章だとわかりますね。

この「うつくし」は抽象的な言葉です。「抽象的」とは、具体的なものごとに共通する性質を抜き出して意味内容を一般的にとらえるさま。

この章段は、具体例をあげながら、清少納言の感性がとらえた「うつくしきもの」をあらわしています。つまり、「うつくし」のような抽象的な言葉も、具体的なものと結びつければ、自分だけの表現になるというわけです。

たとえば、あなたが「かわいい」と感じるものを選んで、どこが、どのように、なぜ、かわいいのかを考えてみてください。清少納言にならって四つ選び、「かわいい」と思う理由をできるだけ具体的に書いてみる。そうするうちに、自分だけの感じかたが見えてきて、それをどう描くかも考えたくなるでしょう。こうやって抽象と具象のあいだを行き来する中で表現力が鍛えられるのです。

そんなこといわれても、書くのは苦手だし、できる気がしないと思ったあなた。第四章に書くためのヒントがありますから、ぜひ読んでみてください。

正解は一つじゃない——そして冒険は続く

さて、冒険の第二章が終わりに近づいてきました。この旅の中で、言葉を通して心に出会う方法を手に入れられたでしょうか。

和歌のように、多様なイメージを持つ言葉に問いを介して向き合うと、心がたがやされ、しなやかになっていきます。進むべき道もだんだん見えてくるでしょう。

とはいえ、和歌を自分勝手に解釈して国語の勉強に役立つの？　そう思った人もいるかもしれませんね。たしかに、古文のテストで百人一首が出て、ここで紹介した解釈を書いたらバツがつくでしょう。

文法的に正しい解釈は、もちろん重要。歌の世界を理解する土台になるからです。

でも、和歌占いの解釈は、それだけじゃない。正解とされているものを掘り下げる。そこから連想を働かせて思い思いに読み解く。模範解答と自分の答えをすりあわせて戦わせる。それは歌との一対一の対話です。

そうして見つかるのは、自分のためのとっておきの正解。これは、教科書的な正答とは異なる、自分にとっての真実を探りあてる営みといってもよいでしょう。正解は一つとはかぎりません。いくつもの答えがせめぎあうところには、これまでにない新しい解釈が生まれる可能性も秘められています。

歌にかぎらず、小説でも評論でも、古文でも現代文でも、文章を注意深く読み解き、見えない世界を想像し、発想を羽ばたかせ、新しい意味を創造する。これこそが、「国語」の冒険です。

コンフォート・ゾーン(comfort zone)という概念があります。心理学の用語で、コンフォートは快適、ゾーンは領域。自分にとって快適で慣れた環境をいいます。そこにいるとストレスがなくて楽。でも成長もない。そんな状況です。

人が成長するためには、少しだけ背伸びが必要です。その領域はストレッチ・ゾーンと呼ばれます。自分を拡張させる経験を繰り返して、少しずつ成長していくのです。

これは言葉にも当てはまります。使い慣れた言いかたで満足していると、伝える力は伸びないし、言葉の奥にある感情や思考にも気づけない。はじめての表現の手触りを確かめたり、あたりまえの言葉の底をのぞいたりしなければ、隠された宝物には出会えないということです。

そんなふうに言葉と四つに組んで格闘するうち、しっくりしなかったものが思いがけず腑に落ちたり、もっとふさわしい言いかたを見つけたりできるでしょう。その瞬間から、言葉がいきいきと動き出し、あなたの一部になるのです。

最後に、もう一つだけ大切なことをお伝えします。言葉を通して出会うのは、自分の心だけではありません。心のうつわを、より大きく、より深く、より豊かにするためには、他者の心を体験することも欠かせません。

それについて、詩人の荒川洋治さんの『読むので思う』の一節を紹介させてください。

本を読むと、何かを思う。本など読まなくても、思えることはいくつかある。だが本を読まなかったら思わないことはたくさんある。人が書いた作品のことがらやできごとはこちらには知らない色やかたち、空気、波長をもつ。いつもの自分にはない思いをさそう。読まないと、思いはない。思いの種類の少ない人になり、そのままに。

（荒川洋治『読むので思う』）

ほかの人が書いたものを読むと、自分になかった思いが誘発されるというのです。

荒川さんは「すぐれた文学作品は、想像と思考の力を授けてくれる。人の心をつくる。人間の現実にはたらきかける。「文学は実学である」とぼくは思う」（同書「文学談義」）とも言っています。名作が「想像と思考の力を授けてくれる」ことは、次章の「山月記（さんげつき）」の〈裏の物語〉について読めば、よくわかるでしょう。

文学作品の登場人物は、時に驚くべき体験をします。自分の殻をやぶる冒険です。東国へと旅する『伊勢物語』の男、メロスの行動に心打たれて改心する王、虎になって苦悩する李徴（りちょう）など、そのような主人公に自分のどこかが重なります。ほかの人はこう考えるのかと目を開かされます。文学を読むと、現実では遭遇できないことを深く体験できるのです。

「文学は実学である」、たしかに、そう思います。長く読みつがれてきた名作は、表からも裏からも、広くも深くも読みこめる。読むたびに新しい発見がある。

冒険の勇者が旅をするのは、変化し続ける先の見えない世界。正解が一つではない場所で、自分を知り、その時々の状況にふさわしい答えを探しながら進んでいきます。

そこで味方になるのは、身を守ったり、謎を解いたり、壁を壊したり、情報を得たり、現実を変えたり、七変化する言葉です。その武器をしっかり携えて、自分を鍛えあげていく。そうすれば、目の前に広がる世界がどんなものでも乗り越えていけるでしょう。

さあ、次なる章では、どんな冒険が待っているでしょうか。

あなたには、いつも「言葉」がある。それを胸に先へ進んでいきましょう。

コラム
「文法を勉強してどうなるの?」 前編

どうして文法なんて学ばなければならないんだろう? 国語の勉強をしていると、きっと一度はこんな疑問を感じたことがあると思います。私たちは文法なんて意識しなくても、いつも日本語でちゃんとコミュニケーションできているじゃないか。古文だって、さすがにちょっとは勉強しなくちゃ無理だけど、でも品詞分解が正確にできなくったってだいたいの意味はわかるじゃないか。

たしかにそうです。「私は元気だ」が、《代名詞》+《係助詞》+《形容動詞》であることを知らなくても意味は通じますし、実は学説や教えかたによっては、この品詞分解がかならずしも正解だともかぎらないのです。では、そんな文法をなぜ勉強するのか。疑問はもっともですが、これは日本語とは何かという大きな問題につながり、ちゃんと答えるにはこの本がもう一冊必要ですので(!)、ここでは少し角度を変え、文法を知ることで見えてくる面白さについてお話ししましょう。

江戸前期の延宝五(一六七七)年に刊行された怪談集、『諸国百物語』に、次のような咄(はなし)が収められています。

京東洞院、かたわ車の事

京、東洞院通に、むかし片輪車と云ふ、ばけ物ありけるが、夜な夜な下より上へのぼるといふ。日ぐれになれば、みな人怖れて往来する事なし。

ある人の女房、是れを見たくおもひて、ある夜、格子の内よりうかがひゐければ、案のごとく夜半すぎのころ、下より片輪車の音しけるをみれば、牛もなく人もなきに、車の輪ひとつまはり来たるをみれば、人の股の引き裂れたるを提げてあり。

かの女房、おどろき怖れければ、かの車、人のやうに物をいふをきけば、「いかにそれなる女房、われを見んよりは、内に入りてなんぢが子を見よ」と云ふ。女房怖ろしくおもひて、内にかけ入りみれば、三つになる子を肩より股まで引き裂きて、片股はいづかたへとりゆきけん、見えずなりける。女房嘆き悲しめどもかへらず。

かの車にかけたりし股は、此子が股にてありしと也。女の身とて、あまりに物を見んとする故也。

怖い咄ですね。

東洞院通は今もありますが、南の下京のほうから御所のある北の上京のほうに向かって、片方の車輪だけが毎夜ひとりでに転がっていった。ある人の妻がこっそり覗いてみると、なんと人間の足を一本ひっさげており、「自分の子供を見ろ」と言う。怖くなって室に入ると、まだ三歳の子供が引き裂かれ、片足がなくなっていたというのです。最後の一文で、女性は物見高くあるべきでないとする当時の通念に基づき、教訓的な因果応報譚に仕立てられていますが、その直前で止めれば、現代でも通じる新鮮な怖さが感じられます。

こう読んでみると、たしかに細かな文法を知らなくても、だいたいの意味はわかりそうです。

「日ぐれになれば」という部分、動詞「なる」の已然形「なれ」に接続助詞「ば」がついているので、順接の確定条件または恒常条件をあらわすが、ここでは後者ととらえて「なるといつも」の意で解するのが妥当か、なんてすらすら言えれば最高ですが、日暮れ→誰も外に出ないという程度なら、まあ何となく見当がつきますよね。その後も多出する已然形＋「ば」なんか、もう思い切って周囲の言葉ごと全部飛ばしてしまい、「内よりうかがふ。」→「案のごとく」(やっぱり)と文章をぶつ切りにしたって、別に物語を読むのに支障はありません。

では、文法に着目すると何が見えるのでしょうか？　その答えは次のコラム（後編）で。

（出口智之）

第三章　他者が見えると、自分も見える

出口智之

なぜ国語で小説を学ぶのか？

いったいどうして、国語の授業に小説なんか出てくるの？

こういう疑問、あるいは不満はしばしば耳にしますし、みなさんの中にもそう感じたことのある人がいるかもしれません。あまりによく聞くので、実は……なんて打ち明けるのも気がひけるほどですが、ぼくもやっぱりそうでした。ただし、よく聞いてみると、そういう文句の裏側にある思いはいろいろなようです。

現代社会の問題について論理的に書かれた論説文や評論文ならともかく、小説を教えられても役に立つとは思えないという人。文学なんてどうせ娯楽なんだから、読みたい人が勝手に読めばよく、みんなで読む必要なんかないと思っている人。論説文にくらべてわかりにくく、授業で教えられる〈正解〉が本当に正しいのか、どうも信用できないという人。小説はあまりに多種多様なので、いくら勉強したって、数学や英語みたいに問題を解く力がつくとは思えない人。狂気や死や性を衝撃的に扱える毒こそ文学の大きな魅力なのに、それができない教室に持ち込んでしまったら、文学がつまらなくなるだけだと言いたい人もいるでしょう。

小説好きから小説嫌いまで、役に立つ何かを求める人から入試での得点を気にする人まで、国語教材としての小説への疑問はいろいろ出てきます。そして、その中にはうなづくしかない意見もたくさんあります。

文学を教室に持ち込むなんて、手足を縛って川に放り込むようなものだ？　おっしゃるとおり。いかに文学史に輝く名作であっても、凄惨な強迫観念を描いた芥川龍之介「歯車」や、性の問題を赤裸々に扱った三島由紀夫「仮面の告白」が教科書に載ることは絶対にないでしょうし、特定の政党や宗教、差別、暴力などにかかわる作品はなおさらです。実のところ、近代のすぐれた文学は、そういう部分にこそ花開いたりするんですけどね。

芥川龍之介

入試の得点に結びつかない？　まことにごもっとも。ほとんどの入試が採用する記号選択式・マーク式の試験は、出題者の読みかたに従う以外に正解のしようがなく、専用の解答技術を身につけたほうが得点がのびやすいという問題を含みます。ぼくが受験生だった時、大学入試センター試験（現在の大学入学共通テストの前身）本番の国語で、自己最低を圧倒的に更新する散々な得点を出して落ち込みましたが、その最大の原因が小説問題でした。それだけなら今や笑い話ですけれど、最近ある本にその問題が載っていたので試しにやってみたら、なんと当時とおなじ点数しか取れなかった。日本近代文学が専門の学者でも、マーク式試験となったらそんなものです。

これは、主要五教科の中で唯一、芸術系科目の要素を含む国語ならではの難しさです。さきほどの文句を言い換えれば、つまり芸術が実生活にどう役立つのか、芸術は好きな人だけの選択科目で十分じゃないか、芸術の味わいかたに〈正解〉を用意されるのはうさんくさい、毒を隠した芸術だけを選ばれてもつまらない、といったところでしょうか。そう言いたくなる気持ちもよくわかりますが、でもちょっとだけ待って。それでもなお、小説が国語の教材に採られ、全員が読むことの意義は決して小さくないと思うのです。

この章では、もう二十年ほど文学を勉強してきた中で考えた、小説を学ぶことの意味や面白さについて、少しお話ししてみたいと思います。まずは試しに、ちょっとのぞいてみてください。幾重にも重ねられた小説のヴェールを一枚一枚剝いでゆく楽しさに、意外と面白いじゃん、と思ってくれる人も少なくないはず（だとよいのですが）。ただ、そういうわけでマーク式試験の点数をのばす方法はわかりませんから、ご入り用のかたは専門の受験参考書もご一緒にどうぞ。

物語の裏側を読む

さて、扱うテキストですが、今回は中島敦(あつし)「山月記(さんげつき)」にしたいと思います。今も高校二年次の定番教材ですので、多くのみなさんがすでに学んだか、あるいはこれから学ぶことになるでしょう。授業で扱われなくても、そういう事情からとても有名なので、どこかで聞いたことがある人も少なくないでしょうし、もしかしたら自分で読んでみた人もいるかもしれません。そういえば、朝霧カフカさん＋春河３５さんの人気マンガ『文豪ストレイドッグス』の第一話も、この作品が題材だったのでした。

中島敦

もちろん、初耳でもまったくかまいません。内容をかいつまんで紹介しながら、ゆっくりお話ししてゆきたいと思います。インターネット上の無料電子図書館、青空文庫でも全文が公開されていますから、あわせて見てもらえるとなお嬉しいですが、言葉遣いがちょっと難しいかもしれませんね。そういう人は、ぜひこの章のあとで読んで、いろいろ考えてみてください。

「山月記」を題材に、これからやってみようと思うこと。それは、物語の裏側を読む試みです。〈裏の物語〉を読むと言ってもよいかもしれません。

小説をざっと読んでゆくと、よく理解できない部分が残るにしても、どういう話か、何が起こっているのかくらいは、まあ何となくわかる。もっと慎重にていねいに読めば、あるいは授業を受けたりすれば、言われていることもだんだんはっきりしてくる。そういう、書かれている言葉の理解から見えてくる内容を、ここでは〈表の物語〉と呼んでおきます。国語の授業でおもに扱われるのはこちらです。

これに対して〈裏の物語〉とは、授業ではあまりふれられませんが、書かれていないことに着目して考えてゆく内容です。それも、表現が気取っていてわかりにくいという程度ではなく、登場人物も気づいていなかったり、または意図的に隠そうとしていたりして、表現自体がほとんど存在しない。だから、ちょっと頭を使って推理しないと見つけられない、それが〈裏の物語〉です。ここで、その〈裏の物語〉を読んでみようと思うのは、言葉の端々から隠された物語を見つけ出す面白さと知的興奮が、小説を読み、学ぶことの大切な意味をよく示していると思うからです。

いえいえ、ちっとも難しい話じゃありません。ちょっと発想を変えてやれば、隠れていたってすぐに見つけられますよ。一度、本番の前に、軽くウォーミングアップしておきましょうか。使うのは、こちらは中学二年次の定番教材である、太宰治(だざいおさむ)「走れメロス」です。

人を信頼できぬあまり、周りの人間を次々に殺している暴虐(ぼうぎゃく)な王ディオニスの話を聞いて怒った牧人(ぼくじん)メロスは、彼を殺そうとするも、発覚して捕らえられてしまう。メロスは処刑を宣告されたが、妹の結婚式のため、親友を人質にして三日間の猶予(ゆうよ)を願った。彼が戻ってこないと見込んだ王は、人は信ずるに値しないという自分の考えの正しさを世間に見せつけるべく、あえてその願いをかなえてやる。ところがメロスは、結婚式をすませたあと、様々な困難や諦(あきら)めの誘惑を乗り越えて走り戻ってきた。強い信頼と友情で結ばれた二人の姿を前に、王は反省して改心する、そんな話でした。

太宰治

中学国語で扱われるポイントはいくつもありますが、ここで注目したいのは王が改心する感動的な最終場面、結末部分の文章です。ちょっと読んでみてください。

暴君ディオニスは、群衆の背後から二人のさまを、まじまじと見つめていたが、やがて静かに二人に近づき、顔をあからめて、こう言った。

「おまえらの望みはかなったぞ。おまえらは、わしの心に勝ったのだ。信実とは、決して空虚な妄想ではなかった。どうか、わしも仲間に入れてくれまいか。どうか、わしの願いを聞き入れて、おまえらの仲間の一人にしてほしい。」

どっと群衆の間に、歓声が起こった。

「万歳、王様万歳。」

ひとりの少女が、緋のマントをメロスにささげた。メロスは、まごついた。佳き友は、気をきかせて教えてやった。

「メロス、君は、まっぱだかじゃないか。早くそのマントを着るがいい。このかわいい娘さんは、メロスの裸体を、皆に見られるのが、たまらなくくやしいのだ。」

勇者は、ひどく赤面した。

（太宰治「走れメロス」）

王がなぜ、どのように改心したのかは、授業でかならず考える読みどころですが、今は深入りしません。それは、書かれている言葉をきっちり読んで探る、〈表の物語〉に属します。では、この場面に書かれていないこと、本来なら書かれていそうなのに、なぜか存在しないのは何でしょうか。それは、改心した王の発言に対するメロスの反応です。

そもそも、メロスがこんな面倒に巻き込まれたのは、王への憤りゆえでした。「死ぬる覚悟」まで決めて除こうとしたその王が、とても暴君とは思えないほど素直に、顔まで赤くして、仲間に入れてほしいと頼んでいるのです。王を諫める目的もかなったし、命も助かったし、「単純な男であった」というメロスなら感激してすぐに何か言いそうなものですが、万歳する群衆の前で彼は何の反応も返しません。王の言葉に歓声をあげたのは群衆であって、メロスではないのです。つまり、メロスの反応が書かれていないことで、逆に際立ってくるその無視こそが、〈裏の物語〉の出発点なのです。

もちろん、たといメロスの反応が書かれていなくとも、群衆の万歳の声で作品が終わっていたなら、まったく不自然ではありません。それは余韻として、読者の心に委ねられたと読めるからです。ところが、「走れメロス」はそのあとに、マントをめぐるやりとりを記しています。演劇の場面として想像するとわかりやすいかもしれません。赤面しながら、辞を低くして頼む王の感動的なセリフ、それを聞いた群衆の歓呼、でも主役のメロスがあっちを向き、少女からマントを受け取って友と話していたら、そのあいだ王はどんな顔をして、間(ま)の悪さを忍べばよいのでしょう？

そう考えてみると、メロスはどうやら王の改心をすぐに受け入れられなかった、それがいささか言い過ぎなら、少なくとも少女に気を取られるくらい、王の改心への感動が浅かったと見てよさそうです。本当に心から感激していたなら、何も目に入らず、近づいてきた王にまず言葉を返すはずですよね。でも彼がそうしなかったのはなぜか、その理由を作品から探れるでしょうか。

たとえば、メロスは戻る途中で襲われた山賊を王の差し金だと考えていました。その推察の当否はともかく、彼は卑劣な謀略をめぐらされたと思い、王を信じられなくなったのでしょうか。あるいは、メロスは途中で疲れ果て、一度は戻るのを諦めてうたた寝までしながら、でも誘惑に打ち克(か)ち、死力をつくして戻ってきたとも書かれていました。自分の深刻な葛藤(かっとう)にくらべ、王の変わり身があまりに早過ぎ、戸惑(とまど)いや疑いが兆(きざ)してしまったのでしょうか。

でも、そんなことはどこにも書かれていません。いくらありそうな可能性でも、裏づけが得られず推測にとどまってしまうなら、それは単なる空想でしかありません。書かれていない〈裏の物語〉を読むといっても、どんな好き勝手な想像でもしてよいわけではないのです。

　では、メロスの無反応からは何が見えるのでしょう。それは、町の老爺から王の悪逆を聞き、その言葉だけを信じて「あきれた王だ。生かしておけぬ」と即断した、あのメロスの単純さがすでに失われているという事実ではないでしょうか。素朴だった彼が、三日間の劇的な体験を経て大人になったという見かたもできますが、無私の信頼があることを王に示そうとした結果、王の言葉を素直に信用できなくなってしまったのだとしたら、それはあまりに皮肉な結末です。友情と信頼の物語であると見せながら、その背後に信頼の成立は簡単ではないという痛烈な皮肉を隠し持ち、しかし肝心なメロスの冷淡さの理由は具体的に記すことなく、様々な解釈ができるよう読者に委ねている。太宰治はやはり、なかなか一筋縄ではゆかない作家なのです。

「走れメロス」については、ここまでにしておきましょう。今覚えておいてほしいこと、それはただ書かれてあることだけでなく、書かれていないこともまた重要な意味を持っていて、そこから隠された物語が広がってゆく可能性があるということです。と同時に、繰り返しますが、何の根拠もない妄想ではなく、あくまでも書かれている内容と矛盾せず、しかもなぜそのように読めるのか、ちゃんと説明できるようにしておくことも大切です。〈裏の物語〉は、〈表の物語〉から離れて展開する別の物語、スピンオフでは決してなく、あくまでそれに貼りついた表裏の関係で成り立つものなのです。

前置きが長くなりました。そろそろ、本題の「山月記」に入りましょう。この作品の〈裏の物語〉とは、いったいどんな物語なのでしょうか?

「山月記」の謎――発端

「山月記」の主人公の李徴(りちょう)は、中国唐代の半ばに生きたとされる才能豊かな青年で、若くして官吏(かんり)任用試験である科挙(かきょ)に合格しました。科挙への合格は出世を約束されたエリートコースの入り口で、それゆえ合格率は一％程度の超難関でしたが、プライドの高い李徴は上役にペコペコするのが嫌で、詩人として名を後世に残すのだと言って辞職してしまいます。ところが、いくら詩を書いても名声はあがらず、そのうち生活も苦しくなってきますから、妻子を養うためにやむなく一般の下級官吏として再就職しました。かつての仲間はすでにはるか高位に進んでおり、ただでさえ自尊心を傷つけられていた彼は、その下で使われるのに耐えきれず、ついにある夜、出張先の宿を飛び出したまま行方知れずになってしまったのでした。

ここまでが前日譚で、物語の中心はこれからです。李徴が失踪した翌年、彼と一緒に科挙に合格した友人で、現在は出世街道を歩みつつある袁傪が、やはり出張で旅をしていました。朝まだ暗いうちに宿を発とうとすると、土地の役人が、この先には人喰い虎が出るので明るくなってからのほうがよいですよ、と忠告してくれます。しかし、袁傪が「供廻りの多勢なの」をあてにして出発したところ、はたして草むらから一匹の猛虎が飛び出して、「あわや袁傪に躍りかかるかと見えた」のでした。

ん？

ちょっと待った。何か変です。

本文をよく読みながら、情景を想像してください。時刻は、残月の光に頼らねば進めないような薄明の早朝。襲われた場所は、「林中の草地」とありますから、虎は樹々の中でやや開けたあたりの草むらに隠れ、獲物を待っていたようです。さあ、何が変なのか、おわかりになりましたか？

考えてもみてください。多勢だという袁傪一行が、林の中を団子型にかたまって進めるわけはなく、作中にも「行列」とあるとおり、長い列をなしていたはずです。しかも、まだ薄暗いうえに虎まで出るという道ですから、最重要人物の袁傪が先頭に立つとは考えられず、

隊列の中段にいたと見るのが自然でしょう。また、「馬から下りて」という表現もありますので、袁傪は襲われた瞬間はまだ馬上にいたこともわかります。

つまりこの虎は、獲物に気づかれていない有利な態勢で待ち伏せしながら、あえて隊列の中ほどまで待ち、馬に乗った人物を選んで襲っているのです。おかしいですよね。騎馬（きば）していればそれだけ襲いにくいでしょうし、かりに成功したとしても、囲まれる危険性が最も高い位置です。捕らえた獲物を喰うには、草むらや林の中を安全な場所まで運ばねばなりませんが、主人を襲撃されたお供の者たちが、そんな悠長なことを許してくれるとはかぎりません。単身の旅行者や少人数のグループが見つからず、やむなく袁傪一行を襲ったのだとしても、先頭か最後尾を襲撃するほうがまだしもやりやすく、これが最も不利で危険な襲撃であることは明らかです。

では、この襲撃シーンは、何も考えずいい加減に書かれたのでしょうか？

種本「人虎伝」と中島敦「虎狩」

ところが、そうした不自然さを除けば、この部分は虎の生態をかなりしっかりふまえた記述になっています。虎の棲息する地域に、サバンナのような開けた草原は多くありませんから、狩りをする時は身を隠して獲物の近くまで忍び寄り、至近距離から一気に飛びかかるのが普通です。あの縞模様は、藪や草むらで目立たないための隠れ蓑なのです。また、虎が夜行性で、特に夕闇やあけぐれの中で活発に活動するというのもそのとおりです。

　こうした正確さは、一つには「山月記」が、唐代の李景亮の作とされる「人虎伝」をもとにしているためです。「人虎伝」の本文を一緒に載せている教科書もありますし、授業中に紹介される先生もいらっしゃって、「山月記」に種本があるのはけっこう有名な話です。当時、大陸にはまだ多くの虎が棲んでいましたから、その生態にそって「人虎伝」が書かれ、それが「山月記」にも反映しているのは不思議ではありません。袁傪が役人の制止を振り切って朝早くに出発したことも、虎が草の中から飛び出してきたことも、みんな「人虎伝」に書かれています。

　とはいえ、「山月記」は「人虎伝」の単純な焼きなおしではありません。虎の襲撃について、「人虎伝」には「去りて未だ一里を尽さざるに果して虎あり、草中より突りて出づ」、つまり出発してまだ一里も行かないところで、草むらから虎が躍り出てきたと書かれているだけでした。逆に言えば、「山月記」のそれ以外の記述は中島敦が補ったということです。では、彼はどこで虎の生態を知ったのでしょうか。

実は、中島敦は少年時代をまだ虎がいた朝鮮半島ですごし、京城（けいじょう）（現・ソウル）近郊で大人たちの虎狩に加わったことを描いた、「虎狩」という小説も残しています。その作中、雪の夜中に虎を追跡するシーンを見てみましょう。

> もうかなり疲れた私達は、その時、林の中のちょっとした空地に出て来た。（中略）なるほど、雪の上にはっきりと、直径七八寸もありそうな、猫のそれにそっくりな足跡が印（しる）されている。（中略）まもなくその足跡が林間のもう一つの空地へ導いて行った時、私達はその林のはずれに、多くの裸木に交った二本の松の大木を見つけた。（中島敦「虎狩」）

一行は、虎の足跡を追って行き着いたこの二つめの空地で、樹上に隠れて虎を待つことにします。空地は「五十坪ほど」だったとありますから、だいたい学校の教室二つ半くらいでしょうか。主人公の少年は疲れて眠ってしまいますが、叫び声に目を覚ますと眼前に虎がいて、大人たちが一斉に銃を放って仕留めました。人々が撃たれた虎を吊（つる）し、山道を下りていった頃には、もう明るくなっていたということです。

どうでしょう。「山月記」とそっくりですね。こちらは人間が虎を狩る話ですが、早朝に林中の空地で虎と対峙（たいじ）するという場面設定も、襲撃する側が身を潜（ひそ）めて待っているという状況もまったくおなじです。

しかも「虎狩」は、単行本『光と風と夢』（一九四二年）に、「山月記」と並んで収められているのです（図3・1）。書かれたのは七年ほど早かったようですが、発表の機会が得られないでいるうち、「山月記」のほうが先に雑誌に掲載されました。その「山月記」と、第十五回芥川（あくたがわ）賞（しょう）の候補作となった「光と風と夢」とを単行本で出すにあたり、「虎狩」もほか四篇（へん）の未発表作品と一緒に収録されました。つまり、「山月記」と「虎狩」は、おなじ本の中でくらべながら読めるよう

目次

図3・1　『光と風と夢』目次（国立国会図書館デジタルコレクションより）

になっていたのです。

だとすると、「山月記」の虎があえて馬上の袁傪を襲っている不自然さは、なおのこと見逃せません。「虎狩」で人々が身を隠していたように、虎が大勢の前には姿を現さないだろうことを、中島敦はよく知っていたはずだからです。もっとも、「人虎伝」の虎も一行の前に飛び出していたのですが、それでもほかならぬ袁傪を選んで襲いかかったとまでは書かれていませんでしたし、どうせ書きかえるのなら、もっと自然な襲撃の形に改めることだってできたでしょう。単行本『光と風と夢』を読むと、虎の話が二つもあることはいやでも目立ちますし、「虎狩」の慎重で迫真の追跡シーンとくらべてみれば、「山月記」の不自然さはいっそう際立ちます。

では、なぜこうした不自然な描写になっているのでしょうか。どうやらこのあたりに、「山月記」の〈裏の物語〉への入り口がありそうです。この疑問を覚えておいて、ひとまず先を読んでみましょう。

李徴は嘘(うそ)をついている!

さて、襲われてあわや絶体絶命かという袁傪でしたが、猛虎はその瞬間に身を翻(ひるがえ)して草むらに隠れ、人間の声で「あぶないところだった」とつぶやきます。その声に聞き覚えのあった袁傪が、お前は李徴、職を辞して詩人を志しながら失踪したあの旧友ではないかと問うと、しばらく忍び泣きが聞こえたあとに、「如何にも自分は隴西の李徴である」との言葉が返ってきます。そして彼は、異類となった身を恥じて姿を隠したまま、自身に起こった奇妙な出来事を語るのでした。

李徴によると、自分を呼ぶ何者かの声に応えて宿を飛び出した彼は、無我夢中で走るうちにいつしか毛を生じ、虎となっていました。なぜそうした超自然の出来事が起こったのかわからないまま、絶望した彼は死を考えます。ところが、目の前を一匹のうさぎが駆け過ぎた瞬間、「自分の中の人間はたちまち姿を消し」、ふたたびその「人間が目を覚ました時」には、口は血にまみれ、あたりにはうさぎの毛が散らばっていました(傍点原文)。以後、虎として生きてきた李徴には、一日に数時間だけ「人間の心」が戻ってくるものの、それも次第に短くなってきていると嘆きます。

虎である自分が仕出かした「残虐な行のあと」を、人間の心を持って見る恐怖、その人間の心も日ごとに失われ、いつか自分がまるごとなくなってしまう恐怖、それにおびえる心情を語った李徴の言葉が、「山月記」前半のクライマックスです。その恐怖を訴えたうえで、彼はまだ記憶している自作の詩を書き取り、世に伝えてほしいと袁傪に頼みます。それは、詩人としての成功に人生を賭けながら、失敗して獣となり、今や人の心と記憶さえも失いつつある男の懸命の頼みなのでした。

下手だと言われてもいい。すべてを賭けて挑んだ詩を、自分が生きた証として何とかこの世に残したい。このまま虎になって忘れてしまい、失われてゆくのはあまりに悲しい。その切実な思いはよくわかりますし、胸を打つ叫びでもあります。

しかし。

やっぱり何か変です。

李徴の痛切な言葉に呑みこまれず、彼の言うことをもう一度整理してみましょう。

虎となった李徴は、うさぎを見て「自分の中の人間」を失い、獣として狩りをしたのだと言います。この「人間」、または「人間の心」とは、どうやら〈人としての意識〉〈理性〉くらいの意味で使われているようです。そのことは続く彼の発言、ひとたび人間の心が消えてしまったら過去を忘れ、袁傪を見ても友だちだとわからず、「君を裂き喰うて何の悔も感じないだろう」という言葉からもわかります。狩りの最中は〈人としての意識〉を失い、獣として本能のままに生きているけれど、それが戻ってくると「情なく、恐しく、憤ろしい」、それが李徴の訴えの核心でした。

何がおかしいのか、もうおわかりですね。え、まだわからない？　それなら重要なヒント。李徴がこう語っているのは、袁傪を襲った直後なんですよ。

そうです。話しているこの時、李徴が「人間の心」を持っているのは明らかです。ではついさっき、袁傪を襲った時はどうだったというのでしょうか。狩りの最中だから「人間の心」を失っていた？　まさか。本当に本能だけで動いていたなら、猛獣として最も集中しているはずの、まさに獲物に爪牙をかけようとする瞬間、その獲物が旧友の袁傪だから襲うのを止めようなんて、冷静かつ的確な判断ができるはずはありません。

では、「人間の心」は意識や判断力ではなく、〈残虐なことをしない倫理〉くらいの限定的な意味だったのでしょうか。いや、それでも変です。だって、襲撃を中止したのは、友だちを襲って喰うのが残虐だとわかっているからですよね。倫理的な心が消え去っていたなら、友だちと知りながら喰い殺すのに、妨げは感じないはずです。

ということは、ここから導かれる結論は一つです。李徴は旧友を認識し、彼を襲うべきでないという判断がきくくらい、明瞭な意識と理性を持って行動していた。すなわち、李徴は袁傪に嘘をついている！

人はなぜ嘘をつくのか?

さあ、衝撃的な見かたが出てきました。小説の中心人物が嘘なんてついていいのでしょうか?

でも考えれば、彼らも(姿は虎であれ)人間なんですから、嘘くらいつきますよね。推理小説の犯人が、警察に訊かれて「はい、私がやりました」なんて正直に言ってしまったら、話が成り立ちません。要は、その場ですぐバレる下手な嘘もあれば、名探偵だけが鋭く見抜く上手な嘘もあり、ほかの登場人物たちは誰も気づかないけれど、読者にはわかる嘘だってあるというにすぎません。そして中には、何十年、何百年にもわたって読者をだまし続ける、きわめて洗練された嘘さえあります。

とはいえ、誰かの発言を嘘だと判断するためには、そういう嘘をつく理由もわかっておく必要があります。ちょっと見栄を張りたかっただけとか、警察に捕まりたくないとか、嘘にはいろんな理由があるでしょうけれど、何も動機が見当たらないと、単なる言い間違いである可能性が捨てきれません。では、李徴が哀惨に嘘をつく理由って、何かありましたっけ?

これまで読んだところを、もう一度見てみましょう。

さきほどまとめた、李徴失踪までの前日譚を思い出してください。彼は上司にへつらうのが嫌で職を辞し、でも再就職したらかつての仲間の下で使われて、いたくプライドを傷つけられたのでしたね。改めて本文を引いてみます。

かつての同輩は既に遥か高位に進み、彼が昔、鈍物として歯牙にもかけなかったその連中の下命を拝さねばならぬことが、往年の儁才李徴の自尊心を如何に傷けたかは、想像にかたくない。
（中島敦「山月記」）

どうやら科挙に合格した頃の李徴は、同輩たちを馬鹿にしていたようです。温和な袁傪とだけは親しかったようですが、それでも李徴が彼を尊敬していたとは書かれていません。その「儁才」(俊才)だったはずの自分が、失敗してやむなく下っ端役人になったばかりか、ついには獣にまで身を落とした。その気持ちを考えれば、李徴が袁傪に嘘をついた理由も、そして不自然な襲撃の理由も、何となく想像がつくのではないでしょうか。

なぜ虎になった李徴は、冷静な意識のもとで、囲まれる危険もかえりみず、襲いにくい馬上の人物を狙ったのか。そう。かねてからの鬱屈した不満や恨み、嫉妬などを晴らすべく、危険を冒してもあえて、隊列の中で一番位の高そうな人物を襲ったのだとしか考えられません。

だいいち、李徴の虎はこれまでにも人を喰ってきたようですが、狩りの最中に旧友を認めて中止するほどの判断力があるなら、人喰い虎として知られる危険性に思いいたらないはずはありません。旅人たちに害をなし続ければ、いつかは自分が狩られるでしょうし、高位の人物を襲ったりすればなおさら危険です。それでも人を襲ってきたところに、自分が容れられなかった人間社会に対する、やるかたない憤懣があらわれています。たといそれが、一方的かつ理不尽なものだったとしても。

だとすれば、そうした内実を正直に告白できず、狩りをする時には「人間の心」を喪失し、「獣としての習慣」で生きているんだと言い張りたくなる気持ちも理解できます。いかに親しい友だちでも、いや親しい友だちだからこそ、李徴のような性格の人物が、社会への恨みから人を喰い、嫉妬に駆られてわざと高位の人物を狙ったなんていう醜さ、弱さをさらけ出せるとは思えません。肝心の部分は獣の身ゆえとし、否応なく「人間の心」を失ってゆく悲劇の存在として自分を語れば、そんな醜さを隠せるばかりか、ある意味カッコよくさえあります。

こう考えると、李徴が袁傪に語った物語は実に巧みです。特に、異類となった身を恥ずかしく思う心、自作の詩を世に残すことへの執着など、おそらく本心だと思われる心情とうまくつながっているだけに、ますます説得力が生まれています。うーん、もしかしたらそれも全部嘘で、李徴は虎になったことを悩んでいなかったかもしれないし、「人間の心」が消えかかっていない可能性だってある？　いえいえ、それには襲撃直前の中止のような、話の内容と食い違っていて嘘だと断じられる根拠がなく、空想の域に入ってしまいますから、そこまで言ってはちょっと言い過ぎです。

それにしても、李徴はこんな巧みな物語を、いったいいつ考えたんでしょうか。実は、その時間もちゃんとありました。袁傪が、草むらに隠れた虎に、お前は李徴ではないかと問いかけた場面を見てみましょう。

叢（くさむら）の中からは、しばらく返辞が無かった。しのび泣きかと思われる微（かす）かな声が時々洩（も）れるばかりである。ややあって、低い声が答えた。「如何（いか）にも自分は隴西（ろうさい）の李徴である」と。

（同前）

このしばらくの時間、おそらく李徴は旧友に出会ってしまったショックの中で、素直に名乗るべきか、それともそのまま姿を消すべきか、必死に考えていたのでしょう。獣になった姿なんか絶対に見られたくない、だけどもう自分が李徴だとバレてしまったみたいだ、いやこのまま逃げれば勘違いだと忘れてくれるだろうか、でも袁傪なら自分の詩を世に伝えてくれるかもしれない、諦めかけていた願いをかなえる千載一遇のチャンスだ、じゃあ袁傪を襲おうとしたことはどう言いわけしようか、自分が人を喰ってきたことも知っているだろうし、虎になったいきさつはどう語ろうか、といったあたりでしょうか。何しろ若くして科挙に合格した、何千人、何万人に一人という切れ者ですから、頭の回転はさぞ速かったはず。衝撃の中で一気に考えて出した結論が、実際の出来事や思いを正直に伝えつつ、肝心な部分に嘘を混ぜて自分の弱さを隠す、あの物語だったのでした。

再度、簡単にまとめておきましょう。本文にはっきり書かれてはいないけれど、前後の事情から推察でき、あるいは言葉の端々からたしかに読み取れること。李徴が意図的に秘そうとし、衝撃的な出来事に動揺していた袁傪はおそらく気づかなかった、深層のドラマ。「山月記」前半にほの見える〈裏の物語〉とは、妬みからあえて高位の人物を襲い、その醜さをうまく言い隠すにいたる、激動する李徴の胸中にあったのでした。

文学者、李徴

さて、頼まれた袁傪が李徴の暗誦する詩を部下に書き取らせ、李徴がさらに即席の漢詩を披露したあたりから、「山月記」は後半に入ります。ここまでに彼が語ってきた、虎になった苦悩や詩への未練を聞き、袁傪たちは心を打たれて静まりかえっています。そのうえで李徴が改めて語り出したのは、自分はなぜ虎になったのかという反省でした。「考えように依れば、思い当ることが全然ないでもない」という言葉が、後半の読みどころの始まりです。

ここから李徴は、自分自身や人との関係についての悩みを、「臆病な自尊心」「尊大な羞恥心」といった魅力的なキーワードをまじえて連綿と語ってゆきます。国語の授業でも大きく扱われる、「山月記」のハイライトです。詳しい解説はやはり先生がたにお願いするとして、今は〈裏の物語〉を読むために必要なだけを、ごく簡単にまとめておきましょう。

李徴の反省の核心は、自分に才能がないとはっきりするのがこわくて、師や友と励まずに怠けていながら、でもプライドばかり高くて人を馬鹿にしていたという点にあります。この独りよがりなプライドこそ、自分にとっての猛獣であり、抑えられなかったそれが外形まで虎の姿に変えてしまったのだというのです。

そんなプライドを持たず、乏しい才能でもしっかり修練することで、堂々たる大家になった詩人はたくさんいる。しかし、今さらそれに気づいても、自分はもう詩を発表することはできないし、「人間の心」がなくなれば覚えていた詩さえ永久に失われてしまうだろう。ところが、そう嘆く悲しみすら、聞いてくれる者は一人もおらず、ただ虎の咆哮としておそれられるばかりだった。さきほど、まず真っ先に袁傪に訴えた苦悩を下敷きに、悔恨や孤独などがないまぜになった複雑な感情を、彼は切々と語ってゆきます。

一通り語り終えた李徴は、残してきた妻子の世話を袁傪に頼み、本当はこれを最初にお願いすべきだった、家族よりも詩のことばかり気にしているから獣なんかになるのだと自嘲します。虎になった理由がもうひとつ出てきたようですが、これは虎への変身という現実にかこつけ、自分を嘲っているにすぎません。彼は最後に、次は人間の心を失っていて君に襲いかかるかもしれないから、帰りにはこの道を通らないでほしいと頼み、念押しに一度だけ虎の姿を見せて、草むらへと消えていったのでした。以上が「山月記」後半の、〈表の物語〉の概略です。

では、この後半における〈裏の物語〉は、どう読めばよいのでしょう。前半の発想に従うなら、やはり何らかの嘘を見つけたくなりますね。しかし、どれかの発言を確実に嘘だと判断できる根拠が、ここには見当たらないようです。じゃあ、どうしましょうか。

　ここで、前半部分の李徴の話がきわめて巧みだったことを思い出してください。隠したいところを隠しつつ、自分を悲劇の存在として演出してゆく彼の手腕は相当のもので、袁傪たちは「息をのんで」その物語に聞き入っていました。本文には、「人々はもはや、事の奇異を忘れ、粛然として、この詩人の薄倖を嘆じた」ともありますから、李徴の話は、人語を話す虎という事態の異様ささえ忘れさせる力を持っていたのです。

　そのことを念頭に、後半の李徴の発言をもう一度見てみましょう。彼の言葉は強いので、気をつけていないと簡単に引き込まれてしまいますから、注意してください。ご覧いただきたいのは、この部分には様々な修辞法が、これでもかというくらい盛り込まれていることです。


【どうすればいいのだ。己の空費された過去は？(倒置法)】己は堪らなくなる。そういう時、己は、向うの山の頂の巌に上り、空谷に向って吼える。この【胸を灼く悲しみ(比喩法)】を誰かに訴えたいのだ。【己は昨夕も、彼処で月に向って咆えた。誰かにこの苦しみが分ってもらえないかと(倒置法)】。しかし、【獣どもは己の声を聞いて、ただ、懼れ、ひれ伏すばかり（擬人法）】。【山も樹も月も露も、一匹の虎が怒り狂って、哮っているとしか考えない（擬人法）】。【天に躍り地に伏して（対句）】嘆いても、【誰一人己の気持を分ってくれる者はない。ちょうど、人間だった頃、己の傷つきやすい内心を誰も理解してくれなかったように（倒置法・比喩法）】。己の毛皮の濡れたのは、夜露のためばかりではない。（同前）

みなさんもごぞんじの、わかりやすい修辞法だけ本文中にメモしておきました。これに加えて、「ひれ伏すばかり。」は「だ」を略した省略法、「山も樹も月も露も」は列挙法、最後の文は泣いたということの婉曲な表現です。「山の頂の巌に上り、空谷に向って吼える」も、崩れてはいますが、どこか対句のような趣があります。

山頂で月に向かって絶望の吠え声をあげる虎とは、いかにも絵になりそうな、ドラマティックな情景ですね。李徴はそういう自分の姿を表現するのに、これだけの技法を駆使しているのです。もちろん、彼が本当に昨夜、月に向かって吠えたのかどうかはわかりませんし、どうも誇張されているような気配もただよいますが、その真偽をつきとめるのは不可能です。それよりも、こうしたドラマティックな情景を選び、文飾を凝らした表現で自分の苦悩を訴える李徴の言葉が、聞いている袁傪一行の、ひいては読者たちの胸を打つレベルにまで達していることに注目してください。

李徴はここでも、その性格から、またその行動から、間違いなく心底に渦巻いていたと考えられる嫉妬や不満、苛立ち、憎悪といった負の感情を隠しています。出世した同輩の下で働くみじめさは語れても、高位の人物を選んで襲った胸中は明かせない。まして、成功した詩人たちを虎の身になって見た感情を赤裸々に語ることが決してできないのは、そのほうがより根の深い、心奥にじかに結びついた思いだったからでしょう。

しかし、何も自分の胸中をすべて、正直にさらけ出すばかりが文学ではありません。むしろ、作者の真の胸中なんてほかの誰にもわからないのですから、聞き手(読者)に心からの叫びであると思わせ、感動させられる表現方法こそが重要なのだとも言えます。そう考えてみると、醜い思いをうまく丸めこみながら、虎への変身というショッキングな現実を題材に、人間としての自分が失われてゆく恐怖、詩にかける思い、高過ぎたプライドへの悔恨と自嘲などを織りまぜ、効果的な修辞をふんだんに用いて、聞く人の感興を昂ぶらせる物語を即座に描き出した李徴の手腕は、並大抵ではありませんよね。

そう。

詩人になれなかったと嘆く李徴は、その詩人になれなかった自分の物語、苦しみと葛藤のドラマをすぐれて文学的な表現によって紡ぎ出し、袁傪に涙さえこぼさせているという点で、実はすでに立派な文学者なのでした。

李徴の語っている苦悩が、「山月記」の〈表の物語〉だとすれば、その背後にある屈折、はからずも出会ってしまった袁傪に対して、聞いてもらいたい心情だけを最も効果的に伝えるべく、虎になった身という圧倒的な現実の力をうまく取り込みながら、渾身の物語を紡ぎ出す文学者としての挑戦こそが、「山月記」の〈裏の物語〉にほかならないのです。

小説から人間を理解する

いかがだったでしょうか。

登場人物たちの言葉を疑い、突きはなしてかかるこういう読みかたは、国語の授業ではあまり行われませんので、戸惑った人もいるかもしれません。だからこそ、あえて定番教材である「山月記」でお話ししてみました。〈裏の物語〉として見えてくる、内容の広がりを実感していただくためです。

さっきぼくは、「言葉の端々から隠された物語を見つけ出す面白さと知的興奮が、小説を読み、学ぶことの大切な意味をよく示している」と言いました。〈裏の物語〉は、たいていは登場人物が意図的に隠していたり、本人も気づいていなかったりする内容ですので、書かれた言葉のあいだや、略されている出来事から見つけてゆかねばなりません。小さな手がかりに気づき、そこから推理を組み立て、見えている出来事の裏にあるもう一つの流れを描いてゆくのは、推理小説に出てくる名探偵の役割にも似ています。そして一般に、あらわれている物事の違う姿を明らかにすることは、つねに知的な興味と興奮をかきたてるいとなみです。

　雑学ネタとか、トリビアとか言われるものがわかりやすいですね。フリーマーケットの「フリー」はfree（自由）じゃなくflea（蚤）だとか（「蚤の市」の訳）、これまで七回も紙幣に描かれた人物がいる（聖徳太子）とか、パソコンで使うマウスの移動距離の単位は「ミッキー」だとか、そういうやつです。ほんのちょっとだけ「へぇー」「ふーん」ってなる、それは小さいけれど、でも間違いなく知的な興奮です。

　小説の〈裏の物語〉を見つけるのは、それよりももっと複雑で、だからこそワクワク感も強い楽しみですが、しかしそのためには単に知識があるだけでは足りません。人間や社会への理解に加え、登場人物ひとりひとりがどういう人間なのか、そういう人はこんな状況ではどう行動するかといった、人物像の的確な把握が必須だからです。学生からたまに、「人間をよく理解していないと、小説の読解は難しいですね」という感想をもらいますが、まさにそのとおり。でも逆に言えば、そういう人間理解のトレーニングになることこそ、小説の学習が現代社会で生きるみなさんに対して持っている、大きな意義の一つなのです。

ぼくたちは社会の中で生きている以上、つねにほかの人たちとかかわり続けています。学校ももちろんですし、仕事に就いた時、地域や趣味のサークルなどのコミュニティに入った時、友だちの友だちを紹介されて輪が広がった時、親戚とつきあう時、いつか子や孫の通う学校ともう一度かかわるようになった時、どれも人同士のつながりを避けて通ることはできません。その際、出会った人たちがどういう考えかたをするのかを理解し、認めてゆくことは、その人たちと良好な人間関係を築き、特に一緒に何かする際には核心的に重要です。全員と仲良くなることは不可能でも、少なくとも自分とは違う価値観があることを認め、それについて考えをおよぼせないと、単に断絶が深まって終わりです。

李徴のような人物に対しては、好感を抱く人も、共感する人も、反発する人もいるでしょう。でも、どんな感想であれ、まず李徴を理解しなければ始まりません。現実の世界なら、風貌や恰好（かっこう）、仕草、態度など、人物理解の助けになる情報はいろいろありますが、小説の世界には言葉しかありませんから、発言であれ描写であれ、徹底して言葉から考えるしかないのです。もっとも、外見は裏切られたり、かえって邪魔になったりすることも多いので、小説はある意味ではフェアだとも言えます。

そして、かりに李徴に反感を持ったとしても、彼が抱えている苦悩の内実や、そう思うにいたった経緯を詳しく知れば、一概に拒絶し去るようなことにはなりにくいものです。

プライドが高く、周りとの軋轢を生みやすい李徴は、たしかにちょっと困ったちゃんではあるのですが、でも科挙に合格しながら思い切りよく出世街道を捨て、自分の夢に賭ける潔さと進取の気風は、現実にはなかなか真似できるものではありません。ある意味では、ベンチャー企業の起業家などに通ずる気概とも言えそうです。失敗して虎になってしまったのは不運ですが、自分の行動の責任を負っているとも取れますし、かつては妻子を養うために下級官吏として再就職し、今は袁傪にその世話を頼むなど、家族への責任も何とかはたそうとしています。それを理解したうえで、だからといって嫉妬や不満ゆえに人を喰ってきた行為は決して許されるものでないし、そのことを直視せず、自分の苦悩ばかりを謳いあげているところに問題があると批判するのであれば、李徴との対話はずいぶん進むでしょう。

いずれにせよ、まずは李徴を理解しなければ何も始まりません。そして、その理解の基本は疑いなく、彼自身が語る主張をちゃんと聞き、その内容や心情を把握することにあります。

これってまさに、国語の授業で行われている内容ですよね。国語という教科の中で小説が扱われ、言葉の意味を正確に汲みとる方法が教えられる一つの理由は、それが現代社会で生きるうえで不可欠な、人間の理解へと直結しているからです。

もちろん、人間という存在は千差万別なので、ただ李徴だけを理解しても、すぐに別の小説の登場人物や、現実の誰かのことがよく見えるようになるわけではありません。でも、いくつもの小説を読み、自分ではない誰かの言葉を聞き、その人の人物像を把握するトレーニングを続けるうちに、人間を見る姿勢や力は確実に培われてきます。その力は目には見えませんし、問題を解かせて理解度や達成度を計ることも難しいですが、だからといって必要ないということにはなりません。むしろ、今申しましたように、現代社会に生きる誰しもが日常的に必要としている、最も身近で重要度の高い力なのです。

では、そういう人間理解の力は、この章でお話ししてきた〈裏の物語〉まで読み込まないと身につかないのでしょうか？　いえいえ、それは順序が逆です。〈裏の物語〉はあくまで〈表の物語〉に貼りつき、そのうえに成り立っているものですから、ありきたりなようですが、まずは書かれていることを正確に読み取って意味を把握する、授業の内容からスタートするしかありません。そうやって、言葉を手がかりとして人間を理解する力を少しずつのばしてゆく、その延長上に初めて見えてくるのが〈裏の物語〉なのです。

もしも〈裏の物語〉の読解を楽しいと感じていただけたなら、あなたはすでに登場人物を立体的に把握する面白さに目覚めているということですし、だとすれば誰かを理解するための基礎となる、〈表の物語〉を正確に読むことの大切さもおわかりいただけるだろうと思います。

とはいえ、そうやって言葉をていねいに読むだけでは、実は〈裏の物語〉まで自在に読めるようになるには不十分です。何しろ、あえて隠されている内容ですから、わずかな手がかりを頼りに見つけ出してやらねばなりません。密室殺人の謎を名探偵とともに解き明かすのが難しいように、〈裏の物語〉へとつながる回路を発見するのも相当に難度が高い。でも、その難しさにこそ、国語の授業で小説が扱われるもう一つの理由があると思うのです。

柔軟な発想力を養う

今回、ぼくが「山月記」の〈裏の物語〉を読む出発点にしたのは、「虎は、あわや袁傪に躍りかかるかと見えた」という表現の背後にある不自然さ、「走れメロス」のほうでは、王の改心に対するメロスの反応が書かれていない不自然さでした。

こういうのは、言われてみればなるほどと思えても、そうでなければ何も考えずに読み飛ばしてしまうことがほとんどです。書いてあることについて考えるほうが、どこにあるかもわからない、書かれていないことを探すよりもはるかに楽ですもんね。でも、何とかしてそれを発見し、見かたを広げ、考えを深めてゆけば、作品の印象はがらっと変わります。ちょうどRPG(ロールプレイングゲーム)で、町やダンジョンのどこかにあるボタンを押した瞬間、マップの配置はそのままなのに世界の姿がまったく変わってしまう、あの感じでしょうか。

小説を学ぶもう一つのよさは、そうやって物語についていろいろ考える体験を通じ、自由な発想力を鍛えられるところにあります。

評論文や論説文では、どうしても作者の言いたいこと(主張)の把握が中心になりますので、作品の裏側を読もうとしても限界があります。しかし小説では、作者にある程度は言いたいこと(テーマ)があるにしても、たくさんの人物を創り出しますから、その全員を言いなりにすることはできません。もしも、あらゆる登場人物が作者の言いたいことだけを口々に述べ立てる小説があったら、そんなのは全然面白くないでしょうし、そもそも小説の形にする意味もありません。

それに、小説は作品の中に、独自の時間と空間を持った一つの世界を抱えています。メロスが友や少女と話しているあいだ、王はいったい何をしていたのだろうとか、行列が通り過ぎて馬上の袁傪が近づくまで、虎はずっと身を潜めて待っていたはずだとか、そうやって物語を立体化することができるのです。作者がそこまで計算して執筆することもありますが、無意識のうちに書いてしまったり、あるいはまったくの偶然でそういう読みかたができる作品になったりもします。でもいずれにせよ、小説を読む時に重要なのは、複雑でわかりにくい物語世界を透かして作者の姿を探し求めるよりも、まずはその世界に住んでいる登場人物たちと向きあうことなのです。

と言うだけなら簡単ですが、小説の世界は現実と同様、非常にこみいっているのが普通ですので、実際には登場人物それぞれの人格と主張を把握するだけでも一苦労です。また、答えがない、あるいは一つに決定できない謎が仕掛けられている場合も少なくありません。

もう一度「山月記」に戻ってみましょう。李徴の独白(どくはく)の中盤、頼まれて彼の詠唱する詩を部下に書き取らせた袁傪が、次のように感じる場面があります。

袁傪は(李徴の詩に——注)感嘆しながらも漠然(ばくぜん)と次のように感じていた。なるほど、作者の素質が第一流に属するものであることは疑いない。しかし、このままでは、第一流の作品となるのには、何処(どこ)か(非常に微妙な点において)欠ける所があるのではないか、と。

袁傪が李徴の詩に感じ取った「欠ける所」、いかにも意味深ですよね。この部分、種本の「人虎伝」のほうでは「文甚(はなは)だ高く、理甚だ遠し。閲(けみ)して歎(たん)ずること再三に至る」、つまり文章は格調が高いし内容も深遠で、袁傪は何度も読んで感嘆したとなっていました。それがこんなふうに書きかえられては、袁傪の感じた「欠ける所」とは何なのか、さあ考えてみてくださいと言われているようなものです。当然、授業でもかならずふれられる、重要なポイントになっています。

その答えの可能性を、〈表の物語〉から探ることはできます。詳しくはやはり先生がたの解説に譲りますが、要するに李徴の反省する短所が詩にもあらわれていることを、袁傪が鋭敏に感じ取っていたというあたりが落ち着きどころでしょうか。彼は李徴の旧友ですし、職を辞してからの来歴や心情、詩人としての姿勢などについても、すでにある程度の情報を与えられていますから、そうした問題点を漠然と感じ取っていてもおかしくはありません。

一方で、その見かたは袁傪が正確な批評眼を発揮できたという前提に立っていますが、その点は本当に大丈夫でしょうか。科挙の合格者ですから、もちろん詩を見る目はあったでしょうが、何しろ虎に襲撃されたうえ、その虎が人語を話し、しかも変身した李徴なのだと聞いたばかりです。相当な衝撃を受けたことは想像に難くなく、その李徴自身が読む詩を、冷静に批評できる状態だったとは考えにくい気もします。加えて、袁傪が聞いた詩は一首も示されておらず、彼の評価の当否は判断できない状態になっているのです。

だとすると、メロスの素朴さが失われていることが重要だったのとおなじく、ここでも袁傪がそう思ったという事実にこそ意味があるのだ、という見かたもできそうです。その場合、考えるべきは李徴の詩作ではなく、むしろ袁傪の心情だということになります。彼が李徴の詩にケチをつけたくなる、そんな気持ちはどこかに暗示されていたでしょうか。あるいは、実際に世に受け入れられなかったのだから、一流の詩であるはずがないという予断が入ってしまったのでしょうか。それとも……？

このように、「欠ける所」問題にはいくつかの答えが考えられますが、いずれも決定的な根拠がない以上、あくまで可能性にとどまり、唯一無二の正答はありません。さきほど慎むべきだと申しました単なる空想と、ほんの紙一重の領域です。でも、そうした謎について考えるのが小説を読む面白さの一つであることも、また事実ですよね。しかも、すぐれた小説であればあるほど、こういう魅力的な謎があちこちに仕掛けられています。

とはいえ、そうした謎に対する様々な答えの可能性を、すべて自分だけで考え出すことはとうてい無理です。読者の前に明らかに提示されている問題でさえそうですから、ましてや隠されている〈裏の物語〉への入り口にもすべて気づける読者なんて、絶対にありえません。ぼくたちのような学者にとっても、文学作品の裏側を独力で読んでゆくのはとても難しく、だからこそ学会で発表して議論したり、論文を書いて主張と反駁の応答をしたりするのです。今回の「山月記」に関して言えば、以前教えていた東海大学の日本文学科で、笹岡正樹くんが二〇一四年度に提出した卒業論文「「山月記」論――意識せざるものへの探究――」を指導する中で、笹岡くんやほかのゼミ生たちと交わした議論から大きな示唆を受けています。笹岡くんをはじめ、巧みな読み手たちが集まったすぐれたゼミで、ぼくも何度もはっとさせられました。

つまり、題材となる小説を多角的にとらえ、固定観念に縛られずに見つめなおそうとする際には、ほかの人との対話が大きなエネルギーとなるのです。国語の授業ではしばしば、「欠ける所」問題のような謎について、クラスメイトと話しあってみる機会が設けられますよね。それは、様々な見かたにふれ、時としてたがいの意見をぶつけあうことを通じて、自分の壁を破り、考えの幅を広げることを目的としています。授業以外でも、家族や親戚などからすぐれたアイディアをもらうこともあるかもしれませんし、参考書や解説書から刺戟を受けることもあるでしょう(この本もそうなるとよいのですが！)。読みかたがある程度決まっている論説文とは異なり、小説の世界はそうした対話を通じて大きくとらえなおされてゆくものなのです。

こういうといとなみは、一見すると、小説の言葉で遊んでいるだけのようにも見えるかもしれません。しかし、いろんな人の考えを聞き、自分でも新しい見かたに頭を絞り、それを人にわかってもらえるよう説明する。そうした経験を繰り返す中で、物事を客観的かつ多角的に見る視座や、自由で柔軟な発想力、論理立てて説明する能力など、これもまた現代社会で活躍するうえで大切な力の数々がだんだん養われてきます。

これまでの考えかたにとらわれず、自分なりの視点から事態を見つめ、新しい発想でそれに向きあう力。物事を違う角度から眺めることで、気づかれていない別の側面を洗い出し、立体的に把握する力。学校教育では、いろいろな教科や活動を通じてそうした力を育てようとしていますが、小説はそれを人間という存在にふれながらできるすぐれた教材です。前の章でも引かれた、荒川洋治さんの言葉をもう一度繰り返せば、やはり「文学は実学である」のです。

他者が見えると、自分も見える

ここまであげてきた、国語で小説を学ぶ二つの意味に共通すること。それは、他者との出会いです。

小説の中の登場人物たちは、当たり前ですが、みんな自分とは違う存在です。よくも悪くも、自分ではしない行動や考えかたをし、時にはすばらしいとも、時にはとてもついてゆけないとも思わせてくれます。小説の中でそういう他者と出会い、彼らの思考や主張を聞いて理解し、その裏側にある心情まで読み取るトレーニングを積むことが、現実を生きるうえでも重要なのは明らかです。

誰かとわかりあえない時、一概に反発していきり立ったり、さっさと遠ざかったりするのではなく、その主張に耳を傾け、そう言うにいたった心の動きを読み取ろうとしてみる。現実にはなかなか難しく、それだけで問題が解決するともかぎりませんが、でも相手への接しかたが変わったり、新しい道筋が見えてきたり、建設的な結果につながる可能性は確実に高まります。そして、そのような他者理解は、転じて自分の感情を落ち着かせ、時には自分の考えを改めさせたりして、人柄の幅を大きくすることにもつながるでしょう。ツイッターのプロフィールに、「批判する人は即ブロック」「違う意見の人とはやりとりしたくありません」と書いていては、自分の主張にとっても自分自身にとっても、よいことは何もないのです。

　また、小説の読解に他者との対話が大切であることは、ついさきほど申しあげたとおりです。自分とは違う数多くの視点を知り、驚きとともに学び、それを真似た発想をしてみる。次なるアイディアを創り出す豊かな発想力は、そうやって他者性を自分の中に取り込み、消化してゆくところからしか生まれません。

　こんなふうに他者との出会いを繰り返しているうちに、やがて自分自身の姿もはっきり見えてきます。李徴や袁傪、メロスや王に対して、自分はどういう見かたをする人間なのか。なぜ彼らの行動や言動をこのように解するのか。他者をどこまで理解でき、どのあたりに許容の限界があるのか。どういうオリジナルなよさを持ち、どういう点には不足があるのか。他者が見えると、その向こうに自分自身も見える。小説を読み、学ぶとは、他者と自分にぶつかって探りながら進む、スリリングな冒険の旅なのです。

コラム
「文法を勉強してどうなるの?」後編

さて、東洞院通に現れた化物です。ある女がどうしても好奇心に克てず、格子の中から外の様子をうかがっていたのが、事件の発端でした。この部分、原文には「格子の内よりうかがひゐければ」とあります。はい、ここでよく聞かれる問題。傍線部の助動詞の意味は何でしょう?

そう、過去の助動詞「けり」ですね。過去にもいろんなニュアンスがありますが、いまはとりあえず過去形だとわかれば十分です。そのことに注目すると、何が明らかになってくるのか。続く文章を見てみましょう。

夜半過ぎ、車の音がしたので「みれば」、輪だけが転がってきたのを「みれば」、腿から断ち切られた人の足を「提げてあり」。わかりますか? いま車の音が「した」と書いたところは、原文でもまだ「しける」と過去形なのですが、そこから急に現在形に転換しているのです。次の「おどろき怖れければ」で一度過去形に戻るものの、化物が話す部分以降になると、やはり現在形の連続です。昔の出来事として過去形で語りはじめながら、怪異の出現とともに現在形に移行することで、切迫したリアリティを読者に感じさせる巧みな話術です。「みれば」の重複も、じわじわと恐怖感を盛り上げますね。訳をつけるなら、こんな感じでしょうか。

【現代語訳】ある人の妻がこの化物を見たいと思い、ある夜、格子の内から伺っていたところ、予想どおり真夜中過ぎの頃、下京(しもぎょう)のほうから片輪車(かたわくるま)の音がしたのを見ると、牛もなく人もいないのに、車の輪が一つ回って来たのを見ると、人の腿の引き裂かれたのをぶら下げている。

ではもう一つ、これもよく聞かれる動詞の主語です。傍線部の主語はそれぞれ何でしょうか。

女房怖ろしくおもひて、内に(ア)かけ入りみれば、三つになる子を肩より股まで(イ)引き裂きて、片股はいづかたへ(ウ)とりゆきけん、(エ)見えずなりける。

（ア）は簡単ですね。家の中に駆込んだのは「女房」です。（エ）の現代語訳は「見えなくなっていた」ですから、主語は「片股」です。ならば（イ）と（ウ）は？

実は、主語がないのです。登場する化物「片輪車」なら話は早いですが、転がってきた時にはすでに片足はぶら下がっていたのですし、それより前に屋内で車の音もしていなかったようですから、そう単純ではありません。では、その子供を引き裂いた〈何か〉、片足をどこかに持ち去った〈何か〉、片輪車とは別の言いあらわされない〈何か〉とは、いったい何物なのでしょう？　そいつは、息をひそめて無人の往来を見つめる女の背後に、はたしていつ忍び込み、そして今どこにいるのでしょうか？

この怪談の本当の怖さは、おそらくこの潜在する〈何か〉の不気味さにあります。単なる化物の出現譚（しゅつげんたん）ではなく、あえて主語を書かないことで、言いおよぼせない〈何か〉の存在を暗示する。その正体の知れない気味悪さと、死角の闇で幼児が引き裂かれている怖ろしさとが、この物語を真の怪談たらしめているのだとも言えるかもしれません。こう読んでみると、小さな文法を見逃さずに読み解く面白さが見えてこないでしょうか。

文法の学習とは決して、闇雲（やみくも）に暗記したことを傍線部に当てはめ、判別するだけの無意味な作業ではありません。言葉の微妙な違いに目を向けることで、作品の真の面白さを引き出すための、大切な手がかりなのです。そして、このような一文の中での複数の時制の混在や、融通無礙(ゆうづうむげ)な主語の出し入れが、少なくとも欧米系の言語ではきわめて困難であることを考えると、日本語の味わいが改めて感じられるようにも思います。

（出口智之）

第四章　言葉で伝え合う

田中洋美

言葉につまずく

ここまで数々の冒険を経て、あなたは人は言葉によって認識を変えられること、自己の考えを言葉を通してはっきりと認識できることを知りました。時に言葉が人間の行動そのものをも変える力を秘めていることも。これは大きな発見です。何しろここまで読み進めてあなた自身が得た知なのですから。

そして、書かれたものを読むと他者の考え方を知ることができることもわかりました。ところが、ふと気づいたのです。他者の姿はよく見える。しかし、自分の顔は鏡越しにしか確認できない。これと同じように、自分の考えや思いは案外つかみにくいのではないか？　小さい頃は思ったことを言えたのに、最近、ふと口ごもる。もやっとした思いを抱えている自分がいます。

また言葉は、モノやコトをあらわすことができます。言葉は考えや思いをあらわすことができます。そして、言葉を使うと相手に伝えることができます。だから、言葉を通じて相手とつながりをつくることもできます。

今までは話せばきっとわかってくれる、と思っていました。書けば記憶に残る。口に出せない「ありがとう」だって、遠くはなれていても書いて伝えることができる。だから、言葉は便利だし、自分自身を支えるもの、けっして自分を裏切らない、と思っていました。

――でも、なんだか最近、言葉につまずくことが増えてきたのです。

たとえば、こんなとき。

•例1　友だちのSNSのひとことでかなり凹(へこ)む。「言ってること、わけわかんないんだけど」って。そのあと、既読もつかない。わたしの言い方が悪かったの？　てか、理解力無くない？

•例2　授業で「〇〇について書け」。たしかに文字は書ける。返却されたの見たら「読み手にわかりやすいように、もう少し具体的に書きなさい」って赤ペンで書かれてた。どうしろ、と？

•例3　入試の面接。「ガクチカ」どうしよ。志望の理由をわかりやすく述べよ、って。いや、わかりやすく、の前に言うことない。

――このように時として言葉は「壁」として自分と人を隔てます。人と人をつなぐはずの言葉が時に人を傷つけ、自分の思いを遮る。成長すると友だちとの交流や社会との関わりが広がります。すると、伝え合う相手も広がります。オンラインでしか「会ったこと」のない知り合いも増えているでしょう。

しかも出会いは偶然です。文化的背景や使用する言語が異なる人と偶然出会ったとき、とっさに相手の言っていることを察知し、対応していく場面も増えています。偶然といえば、例3のように「入試」だから「進学先の面接官」と「受験生」という立場は想定できても、厳密にいえば、どの面接官にとってもわかりやすいというテッパンはありません。

さらに、身近な相手との言葉のやりとりでも小さな「壁」や「溝」が増えてきました。なぜなら、一緒に過ごす友だちもまた成長しているからです。特に環境が変わると見聞が広がり、それぞれが昨日の自分は今日の自分じゃない。ものの見方、感じ方がそれぞれ広がると今までの「あたりまえ」のやりとりが突然、ぶつかることがあります。見えない「壁」の発生です。ああ、なんだか「溝」を感じる。すると「こんなこと、言ったらどう思われるんだろう?」とますます言葉がでにくくなる…。

——ああ、わからない。他人に「わかりやすい」ってなんなんだ。自分自身で「わかりやすい」と思って選んだ言葉が、相手に届かない。「わかりやすく」って他人に言われるたび、だんだんわからなくなってきた。ちょうどいい言葉がでてこない。

「わかりやすさ」を疑う

あれ、ピンチです。どうやら「わかりやすい」表現を求めて「わからない」沼にはまったようです。そこで、使者を遣わし、同世代(高校生一四九名)に「わかりやすい」表現をするためにどんな工夫ができるか聞いてみました(図4・1)。

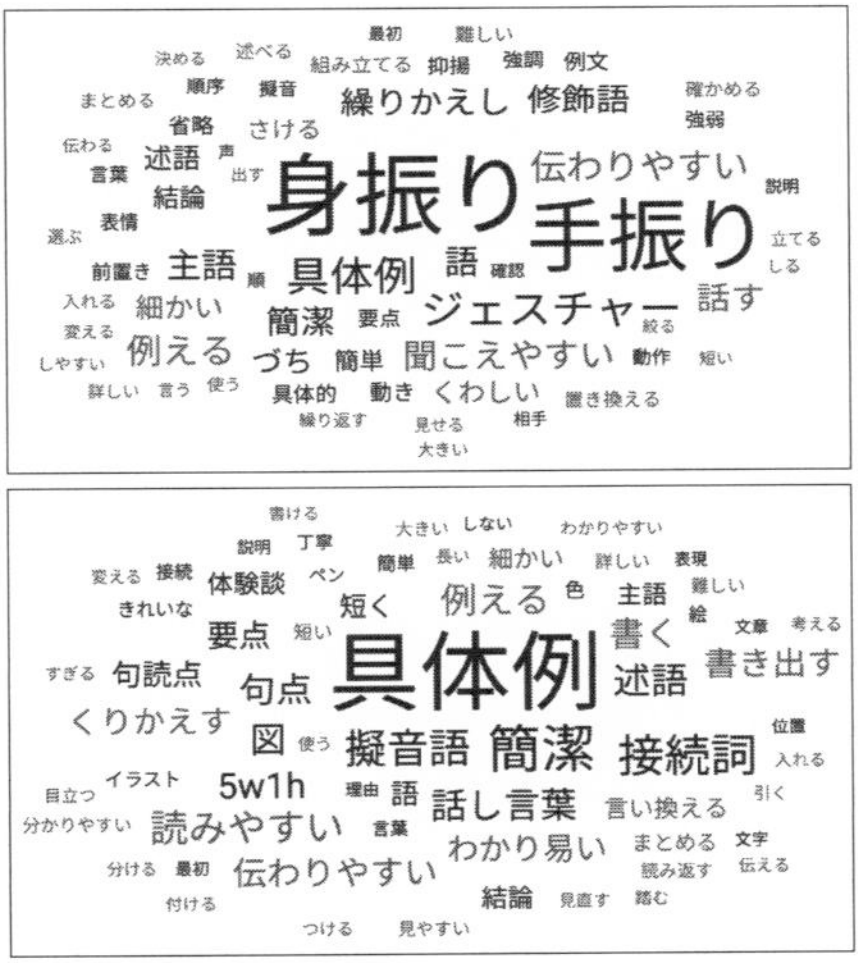

図4・1　(1)「話すときの工夫」(上)と(2)「書くときの工夫」(下)の答えを，出現頻度が高い単語を複数選び出し，その値に応じた大きさで図示(ユーザーローカル　テキストマイニングツール〈https://textmining.userlocal.jp/〉で分析)

問　あなたは「わかりやすく」表現するときどのような工夫をしますか?

(1)「話すときの工夫」、

(2)「書くときの工夫」の両方について答えなさい(自由記述)。

いずれも伝えようという熱意が高いことがよくわかります。両方に共通して見られたのは「難しい語は使わない、簡単な語に言い換える、説明をつける」「主語を入れる」です。これまでに学んだことや自分が「わかりにくい」と言われた経験から難しい言い回しよりも簡単で簡潔な表現のほうが伝わりやすいと考えているようです。

特に話すときには身振り・手振りなど動作をつける工夫が挙げられています。「手の動き」「ジェスチャー」も同様で即時に伝わる一方、消えていく話し言葉に対し、視覚的な情報を補うことで理解を助けようというアイデアです。書くときには身近な具体例を挙げる人が多くでました。さらにきれいな字、大きな字や色分けを心掛けるなどの「見やすさ」、段落や接続詞でまとまりや流れを明確にする、句読点で切れ目を明示するなどの「意味のまとまり」、擬音(ぎおん)語・擬態(ぎたい)語、比喩表現で「いきいきと伝える」工夫を考えています。また、声の大きさや速さなどの「聞きやすさ」、きれいな字、大きな字などの「見やすさ」はふだんから自分で気づきやすいわかりやすさといえそうです。

しかし、「簡潔」で「聞きやすい」「見やすい」だけでは十分に伝わらないのが現実です。

実は現代社会では「わかりやすさ」が多様化、複雑化しているのです。

この問題を考えるために文化審議会国語分科会「分かり合うための言語コミュニケーション（報告）」（平成三十年三月）を見てみましょう。まず「分かり合うためのコミュニケーション」とは、「複数の人が互いの異なりを踏まえた上で、情報や考え、気持ちなどを伝え合い、理解し合い、その理解を深めること」と説明されています。価値観が多様化し、共通の基盤が見つけにくい世の中においても「言葉」で表現し、理解を深めていくしくみは変わらないのです。中でも「言語コミュニケーションの四つの要素」として「正確さ」「分かりやすさ」「ふさわしさ」「敬意と親しさ」が挙げられています。やはり、「わかりやすい」ということは伝え合う中で大切な要素なのです。

では、これからの社会で求められる「わかりやすさ」とはどのようなものでしょうか。「主な観点」として次の五つがあります。

①相手が理解できる言葉を互いに使っているか。
②情報が整理されているか。
③構成が考えられているか。

④互いの知識や理解力を知ろうとしているか。
⑤聞いたり読んだりしやすい情報になっているか。

たとえば①の「相手が理解できる言葉」と聞いて「具体例や比喩を用いるなど、説明の仕方を工夫することは得意だ」という人も多いのではないでしょうか。しかし、「一般にも通用する言葉」といわれると自信がないかもしれません。年上の方に「そうなんですね」と答えたら「まじめに聞いてるのか！」と叱られた話も聞きます。なぜなら、「そうなんですね」は四十代以下の人は「まったく同感です」という同意をあらわすのに使います。しかし、アナウンサーの梶原しげる氏は、相手によっては「機械的に応え、つなげるべき会話を『ズドン』と終わらせる相槌」と捉えられる恐れがあることを指摘しています(校閲センター・田島恵介「ことばサプリ」『朝日新聞』二〇一九年十一月九日朝刊)。これでは、突然、相手が不機嫌になるかもしれません。また、「かわいいかよ」と言われて彼女が喜ぶか怒り出すかもわかれるところです。もちろんインターネットで流行りの検索ワードや「刺さる」言葉も気になります。しかし、あなたが次のステージに乗り出すためには、いろんな相手につながるためのアイテムとして知っている言葉、使える言葉の質と量をパワーアップしていく必要があります。

さて、さきほどの「わからない沼」からの脱出方法を考えてみましょう。例１は友だち、例２は先生が読み手です。両方とも日頃から面識のある関係です。例１のＳＮＳの「わかりにくさ」はたとえば観点③や観点④が手掛かりになるかもしれません。そもそも自分が相手に話したいとき「伝えたい中身」がぐっと前にでた形で意識されます。たとえば「うわぁ、やらかしたー」「はずかしい」という気持ちを共有したいときです。しかし、相手はＳＮＳにせよ、電話にせよ連絡をとってきたからには「用件」があるだろうと思って聞いていたらどうでしょうか。「で、何？　どうした？」と聞く隙（すき）もなく、畳み掛けるように「うわぁ」「おわったー」とつぶやきの連続では事情が飲み込めません。こんなとき、第一声は「やらかしたー」でも構いません。でも、次に一息ついて、相手がその話題の前提をどれぐらい知っているか、また伝える順序や優先順位を考えてみましょう。「結論を先に述べる、次に理由や根拠を述べる、最後に結論を述べる」など、聞き手の「知りたい」順で話すと気持ちも用件も伝わりやすくなります。

ところで、例３は深刻ですね。入試の面接が近いのに「わかりやすく」の前に「言うこと」がないなんて。あれ、志望校を決める段階で志望理由があったのでは？　という点はこの際、おいておきましょう。肝心なのは「言うこと」がない、「書くこと」がないという不安に立ち向かうことです。例2の例はともかくも書けたのですが、しかし、それも怪しいもの。「なんとなく」「無理矢理」字数を埋めたのかもしれません。このままではこれから先、「書きましょう」「意見を述べてください」と言われるたび、気持ちがへなへなと崩れ落ちます。ここは一つ、別の観点から言葉を眺め、対策を考えてみましょう。

「わかりにくさ」と向き合う

「わかりやすさ」の五つの観点は互いに「わかり合う」ための要点です。また、見方を変えれば聞き手や読み手が感じる「わかりにくい」ポイントでもあります。聞き手、読み手の立場では、知っている語彙で理路整然と説明されたとしてもやはり「よくわかった」と思えないこともあります。伝え合う目的や対象をよく共有し、相手の反応を見ながら伝えられたとしても、です。

その理由は一つではありません。まず、わかり方は十人十色です。いろんな思考を経て「わかった」ような気がする。そんな状況の繰り返しです。加えていえば、即座に知る、理解することだけが「わかる」ことではないのです。少し時間がかかる「わかる」もたしかにありますo たとえば、冒頭は読みにくい小説を少し我慢して読み進めたとき、その物語に馴染(なじ)むこと、読み浸ることで何かがつかめてくる場合です。もやっとしたもの。ああそういうことか、という感覚のまとまり。これは「わかった」につながる芽です。

また、時間を経てひょんな拍子に深く胸に落ちるという「わかる」もあります。たとえば「観念の眼を閉じる」というたとえ。これは坂口安吾(あんご)の「文学のふるさと」に「いわば観念の眼を閉じるような気持」と出てきます(坂口安吾『堕落論・日本文化私観　他二十二篇』岩波文庫、二〇〇八年)。初見ではしかと字義がつかめず、辞書を引きました。「観念」とは「①〔仏〕観察し思念すること。仏陀の姿や真理などに心を集中してよく考えること。②あきらめること。覚悟。「もはやこれまでと――する」」(『広辞苑』第七版)と説明されています。授業では文脈に組み入れてなんとなく説明できる程度です。もし、これが実生活で卒然(そつぜん)、昨日までの生活が断ち切られるようなことが起きたとしたら。不本意ながらせざるを得ないこともあります。なんとか状況は変えられないのか？　しかし、天災などで大きな被害が出れば自分の力ではどうにもならないこともあります。しかも、起きたことは変えられません。目の前の事態をうまく受け止められず、誰の慰(なぐさ)めも励ましも自分の心には届きません。

そのときふと「観念の眼を閉じる」という語句が浮かんだとしたら。ああ、これ、こういうことか。どうしてもそうせざるを得ない。いや、そうなるしかない。目の前にいろんなものが厳しくいっぺんに押し寄せてくる。これを全部まるごと受け止める姿勢が「観念の眼を閉じる」ということなんだ……。身をもって言葉の意味を知ると妙に落ち着くことすらあります。

つまり、自分の置かれた状況や今、感じていることと「先人」の言葉が何かしら接点をもつとき、自分の中で初めて言葉が息づくのです。生活経験と言葉が結びつくとき、目の前の出来事は人間が誰しも経験しうるものであること、それを先人の言葉の存在から確認できるのです。個別の悲劇を相対的に捉えることで新たな打開策に気づくかもしれません。「我が臆病な自尊心と、尊大な羞恥心との所為である」(中島敦「山月記」『山月記・李陵 他九篇』岩波文庫、一九九四年)、「覚悟、――覚悟ならないこともない」「宜ござんす、差し上げましょう」(夏目漱石『こころ』岩波文庫、一九九七年)と声に出してみるとたしかに暗闇に一人きりではない気がしてきます。

こうして見ると「わかりやすさ」に気を配るだけではなく言葉の「わかりにくさ」「難しさ」と付き合うことも自分の言葉を育てるためには大切なことだと気づきます。「わかりにくい」言葉は今の自分にはわかりにくい、しっくりこないと受け止めましょう。縁があれば、いつか時間を経てわかるときがくると気長に付き合うつもりで。辞書で基本的な用法を正しく理解し、出会った言葉として登録しておきましょう。今はスマホやタブレットで手軽に「キープ」できますからある程度溜まったら、整理しておくとよいですね。そして生きた言葉に育てるためには、やはり失敗を恐れずに使ってみること。伝え合う経験を多く積むことが鍵になります。「習うより慣れよ」です。

書けない理由を整理する

では次に、教室の課題などで「書くこと」が苦手なあなたのお悩みを一緒に考えてみましょう。国語教育研究者の田中宏幸氏は小学校、中学校、高校での「書くこと」の授業の実態から「文章が書けない原因」を六点挙げています（「「書くこと」の指導における場の設定と課題のあり方――東広島市立東志和小学校の取り組み――」『国語国文論集』第五十一号、安田女子大学日本文学会、二〇二一年）。

①相手…読み手が不明確で、書いても反応がもらえない。
②題材…適切な題材が見つからない。題材の焦点が絞り込めない。

③視点…自分の立場が定まらない、自己を客観的に見るのが難しい。
④語彙…様子や心情を表す語句が見つからない。具体的な描写が説明できない。
⑤結束性…文や段落が繋がらない。段落や文章がまとまらない。
⑥筆速…書くのに時間がかかる、日頃から書き慣れていない。

そして①〜③までを「発想・構想に関する問題」(書きたいという意欲の喚起や書く内容の焦点化)、④〜⑥までを「文章化に関する問題」(文章の展開の仕方、適切な表現の仕方などの問題)に大別しています。概ね「書けない」理由は出揃っています。

これに加えて書き進める手順を整理してみましょう。授業では突然お題が出されたり、決められた時間内に書ききらねばならなかったりと何かと制約が多いものです。そんなときはあわてない。いきなり「書こう」とするのはキケンです。「ふーっ」と深呼吸し、まずは集中。相手(課題)をよく見て、だんどりを把握することが大切です。「書くこと」はよく料理にたとえられます。以下のだんどりを確認してください。

- 選ぶ　目的と対象を確認し、メニュー(題材)を選びます。
- 準備　必要な食材(情報)を集め、下ごしらえ(情報の整理・分類)をします。

・調理　それから煮たり焼いたり(内容や構成の検討、考えの形成、記述)。
・調える　味見をして整え(推敲)盛り付けます。

いかがでしょう？ 基本のだんどりは頭に入りましたか？ それでは、前述(一四三頁)の「わかりやすさ」の五つの観点を仕込んでみましょう。五点のうち、「②情報が整理されているか」「③構成が考えられているか」は情報の収集や構成の検討など「準備」や「調理」段階で工夫しましょう。「①相手が理解できる言葉を互いに使っているか」「④互いの知識や理解力を知ろうとしているか」「⑤聞いたり読んだりしやすい情報になっているか」は表現の工夫や実際に伝える前のリハーサルや推敲で注意しておきたい事項ですね。つまり、「調理」中と客に提供するとき、と考えればトータルで「お客様」(伝える相手)を意識した言葉の使い方ができそうです。

これを「文章が書けない原因」と照らすとメニュー(題材)を「選ぶ」ときにつまずく場合と調理方法(内容や構成の検討、考えの形成、記述)で悩む場合とでは対処方法が異なりそうです。今回は題材を「選ぶ」ことを中心に考えてみます。

「自由」の不自由さ

「〇〇について書け」――その一文がわたしを苦しめる。

振り返ってみると「書かされる立場」に置かれることは多いもの。そもそも書くという主体的な行為に対し、書くことのテーマや範囲が決められることは窮屈(きゅうくつ)なものです。だって書くのは自分なんですから。

では、「題材は自由に選び、自分の意見を書きましょう」と言われたらどうでしょう？　本当に「自由に」表現できますか？　あるいは、いきなり自分のことや思いを尋ねられたとき、思い通りに表現できますか？

自己紹介を例に考えてみましょう。高校生のSさんは地域のボランティアサークルに参加しています。顔合わせをしようにも社会人も参加しているため、なかなか都合が合いません。そこで今期の初会合はオンラインで行うことになりました。

会長「では、みなさん、お揃いのようですね。初会合を行います。今日は新規の方、五名をお迎えしました。まず、簡単に自己紹介から始めましょうか。じゃ、三年目のSさんから、名前や所属とかひとことずつお願いします」

Sさん「……」

会長「?……Sさん、どうぞー、あ、ミュートになってる?……そうでもない?　マイクオンにしてるかな?　どうぞー」

Sさん「……Sです。よろしくお願いします」

会長「…もうひとこと、ね?　何か、今年の抱負とかさ」

Sさん「……」

会長「……緊張してるのかな?　また、あとで何か話してねー、じゃ、次、行こう」

ちょっとSさんの気持ちをのぞいてみましょう。

「自己紹介って対面でもオンラインでも、本当に困る。集まっている段階でこの会に何らかの興味をもっているか、関係者だってわかっているのに改めて所属や抱負を述べよって、どうよ?　そっとしておいてほしい。下手に情報を与えて思いもかけないところに流されたり、噛みつかれたりしたらやっかい。だから、やっとのことで名前を言ったのに「もうひとこと、ね?　何か」と促されると本当に困る。……ところが、流暢に話す人は話す。くすっと笑わせるエピソードや会に対する期待などを明るく述べる。しかも長すぎず短すぎず。しっかり自分の存在を印象付けてる。……うまいなぁ、すごいなぁ。……何人かの熱い思いを聞くとそれだけでお腹いっぱいだ。ああ、早く本題に入ってほしい。……」

どうやら自分で自分を紹介することにあまり乗り気ではなさそうです。一回かぎりの会合や大した働きを見せなくても大過（たいか）のない集まり……つまり、参加することに意義がある、あるいは情報収集が目的でこちらから発信する必要がない場合はこれで済んでいきます。でも、今回はこれから一緒に活動する仲間との出会いの場です。また、インターンシップや入試の面接ではどうでしょうか。無言や相手の発言に関心がない態度で応答すればどのような結果をまねくか。火を見るより明らかですね。

だから、「いざ」というときは自分に関する情報や考えを適切に語り、よりよい関係構築に努める必要があります。言ってみれば、言葉で次の「居場所」を開拓するのです。なぜそこに関わろうとしているのか、今後どのようなことを実現したいのか。いきなり自分をさらけ出す不安におびえるよりも、参加する場に応じて開示できる情報をピックアップしておくほうが次の「もうひとこと」がでてくるかもしれません。何より安心して話すことができます。そう考えれば、新しいクラスでの自己紹介も自分の「居場所」確保の方策の一つなのかもしれません。

Sさんたちはこのあと担当部署ごとにグループ(四人)で話す時間が設けられました。Sさんの担当は広報係です。新規加入の二名がいろいろ質問してくれました。

新人A「Sさんって三年目なんですね、ずっと広報係なんですか？」
Sさん「ええ。そうです」
新人B「広報って具体的に何するんですか？」
Sさん「企画が決まったらポスターやチラシのデザインを考えて作成します。できあがったら商店街や駅に協力をお願いして掲示したりチラシを設置させてもらったり……」
Nさん「そうそう、去年の企画のポスター、Sさんのデザイン案だったよねー、駅に貼ったやつ」
新人A「えー、そうなんですか？　私、通学のときに見かけて、高校に入ったら参加してみようって思ってて」
新人B「あ、うちの店にも来ましたよね？　チラシ置かせてくださいって。文字が大きくって会場までの道順もわかりやすいっておばあちゃん言ってた」

みんなの話を聞いたSさんは、「…あ、ポスターもチラシも見てくれてたんだ。そっか、今まで活動にどう関わってきたのかを話せばいいんだ」ということに気がつきました。

Sさんは聞き手の質問から相手の関心を理解したようです。今回の場合、この活動における自分の役割を話すことも立派な「自己紹介」ですね。しかも同じ係の新メンバーにとって具体的な活動内容は関心の高いところです。

ただし、話の内容と自分の存在意義を必ずしも重ねて考える必要はありません。自己紹介は相手の一部を知るきっかけに過ぎないように、ここで失敗したからといって「消えてなくなりたい」「○○デビューしくじった」と思うことはありません。たとえば、話し合いの場面では、話し合っているうちに、別の見方や反論がでることもあります。その結果、問題が解消されたり、議論の流れが修正されたりとだんだん話が収束していきます。その途中で「話している内容」はあくまでも自分の考えの一部を表現したものです。だから反論されたとしても、あなたの存在自体を否定するものではありません。つまり、あなたが勇気をもって発言したなら、まずは考えを伝えることができたなら、これを成果と考えてほしいのです。そしてあなたもひとりひとりの発言にじっくり耳を傾けてみましょう。小さな積み重ねが伝え合う関係を築いていくのです。そう考えれば、Ｓさんは自分の発言には自信はなくても、他の人の発言をよく聞くことができています。聞き手が話し手を支える点からもこの場に立派に参加できたといえます。

「つまずき」のち「ひらめき」

このように相手の理解、共感、納得を引き出すための伝え合いは、「いざ」というとき急にできるものではありません。これは話し合いだけではなく、文字を通した伝え合いでも同様です。こんなとき、これまでの「言葉」をめぐる経験がものをいいます。

特に学校の授業で「話すこと」や「書くこと」に苦手意識をもつ理由の一つに「うまく話したり、書いたりできないことがあります。実際、発表の時間や作文の時間の「時間内」で高評価を得ることは至難の業だと思います。だって話すことがちーっとも見つからないことだってありますし、どうやって書いたらいいのかわからないのに相談できないまま提出期限がきてしまうこともあるからです。つまり、「限られた時間の中で万全のパフォーマンスを行うこと」と、「自分の書きたい（あるいは書くべき）ことを適切に書きあらわすこと」の両方が実現したとき、授業で「うまく書けた」という状況が実現するのです（するとも限らない)。

しかし、後者を実現するためには時間がかかります。話すことを見つけることも、どうやって書きあらわせばいいかも試行錯誤(しこうさくご)、つまり、やってみて、確かめて、取り替えてもとにもどす、その過程を繰り返した末、しばらく放置したら何か見えてきた! といった自分なりの思考をぐるぐるとめぐらす時間が必要です。まずは自分が何を書きたいのかをつかみ、自分なりのやり方を育てることが大切なのです。思考力は試行錯誤の末にゆっくり育つ。だから、気長にこつこつ自分の思考と表現を育てていきましょう。

また、作文が得意なあなた。「いつも」の書き方を、一度横において別の書き方や言葉の選び方に挑戦してみませんか? 作文が得意だという人は、自分なりの書き出し、進め方をもっています。しかし、社会では目的や対象に応じて様々な表現方法が求められます。自己流だけでは相手に伝わらないこともあります。言葉が届かない、思いが伝わらないだけではなく、その結果、用件が果たせない場合もあります。また、正しいことをまっすぐ伝えるだけでは人の心は動かないことも多々あります。

だから、高校生にとって、小説や詩、評論、実用文など様々な種類の表現にふれること、それ自体が大切な言語生活、体験だと思います。また、それを通して今まで知らなかったものの見方や感じ方、語彙や表現を取り入れていくことは新しい言葉の領域に踏み出すことでもあります。あるいは新たな「わからない」表現を見出すこともお宝発見の一つでしょう。その「つまずき」が「ひらめき」を生むことだってあるのですから。

では、続いて「話題」を選ぶ〈実践編〉に参りましょう。

言葉で伝える「きっかけ」

今回のお題は「きっかけ」。これでエッセイを書いてみたいと思います。エッセイ(随筆、随想)ですから、まずはあなたが取り上げたい話題で書き方も選ぶことができます。今回は読んでほしい相手(伝えたい相手)は決めておきたいと思います(その理由はまたのちほど)。

さて、お題についてですが、なぜ「きっかけ」なのか。それは人生の中で「他の人とつながる」話題として取り上げられることが多いからです。たとえば、部活動でも入部の動機を聞かれますね。大学や企業に対する「志望理由書」にも進路先に対しどのような経緯で関心や接点をもったのかわかりやすく伝える必要があります。結婚披露宴(ひろうえん)でも「お二人の出会ったきっかけは?」などお世話になった方々と新たにご縁ができた人たちをつなぐ話題として定番ですね。

また、「きっかけ」を見つめることで伝える相手を明確に意識しながら、自分の中の「できごと」と「感じたこと」を仕分けていく力も育ちます。さらに自分の心身に起きた変化を言葉でつかまえることができれば、今、どのような状況なのか、改めて見直すこともでき、気づきも得られます。「やりたいことが見つからない」「やりたいことはあるけど何からすればいいんだ?」というあなたもぜひ一緒に考えてみましょう。

本当の「きっかけ」を見つけよう

言葉でつかまえたい「きっかけ」は実は見えにくいのです。いいえ、もう少し詳しくいえば、心が動いた瞬間、「本当のきっかけ」は見過ごされがちなのです。

たとえば、読書感想文はなぜか本を選んだきっかけから始まるものが多く見られます。「友だちに勧められて」「家の書棚にあった」「ネットでジャケ買いした」「宿題でしかたなく」「図書館に行ったらちょうど返ってきた」などなど……。たしかに「できごと」であり「事実」でしょう。しかし、それらのできごとは他ならぬあなたのたった一回の経験であり出会いなのです。そもそも買ったところから書き起こすと、その次は「あらすじ」、「最も感動したところ」、最後に「自分の生き方に活かしたいこと」……と表紙を開いてから閉じるまでの時間順に並びます。この書き方のよいところは流れは一方向でその点でわかりやすいことです。また、できごとを書きあらわすことで捉え直し、どの行動からどのような考えが生まれたのか跡づけることができます。その上で全体を振り返って「どのような本であったのか」「自分の生活にどのような点で接点がもてるのか」を総括(そうかつ)する効果があります。しかし、これでは感じたことや言いたいことが読み手の印象に残らないこともあります。限られた字数の中でいかに自分なりの切り口や感じたことを印象深く伝えるか——それが問題です。

そこでもう少し、心の拡大鏡(かくだいきょう)を働かせてみましょう。この本があなたの読書感想文の題材に選ばれたのは「友だちに勧められて」読み始めたその先にあるのではないでしょうか。たとえば「目次を眺めたら知っている話があり、気になって読み始めた」(どんな話が気になったのか、何故か)、「主人公が自分と正反対の性格で驚いた」(「正反対」と思ったエピソードはどれか、どの部分か)など自分の考えが動いたところ、何か気になったところを「起点」としてみます。すると感想の中心というか核の部分との距離がぐっと近くなります。自分の心が動いた瞬間を逃さないこと。それが何か、そのときはつかめなくてもいいのです。いつかわかるときが来るかもしれません。そっと書き留めておきましょう。

このように「きっかけ」は「物事を始めるはずみとなる機会や手がかり」(『広辞苑』)なの

ですが、その「はずみ」を生み出した瞬間は見過ごしやすいのです。どんなできごとから何を考えたのか。次に、その瞬間を言葉で捕まえる手立てについて作品を例にして考えてみましょう。

できごと×心の動き

さて、ここである作家の作品を読んでみたいと思います。心のはずみ、動いた部分をどのように描写しているのでしょうか。また、その場面を印象深く描くためにどのように話を進めているでしょうか。

次の三つの点に注意して「きっかけ」をつかんでみましょう。

①「作家として書く」ことを決意したのはいつか。
②「きっかけ」となったできごとは何か。
③「きっかけ」はどのように描かれているか(どのような展開で、どのような言葉で)。

題名「新しいスタート」

「また漫画を描いている。どうせまたダメなんだから、やめりゃいいのに」と家族が次々と同じ事を言った。

家族はわかってないのだ。私が、少女漫画ではなく、エッセイ漫画を描く事に決めた事をわかっていない。少女漫画を描いていた時は、絵が上手く描けないとか、ストーリーが浮かびそうもないとか、様々な困難に襲われ、自信を失い、弱気になっていたが今回は違う。

絵は、一般的な少女漫画とは全然違う方向に変えた。こういう絵を描くのも私は好きだったし、描き始めてみると少女漫画よりずっと自分には合っている感じだ。上手いわけではないが、できる限りていねいに、ものすごく心を込めて描こうと思った。

少女漫画のラブストーリーは、次々と思い浮かぶ気がしなかったが、エッセイ漫画ならできる気がする。できる気がするというより、できない気がしないと言った方が微妙に正確かもしれない。

夏休みになり、睡眠時間以外全ての時間を漫画のために注いだ。もう去年のような、何もしない夏休みではなかった。

自分では何もしない夏休みとはとても思えなかったが、親から見れば「勉強もしない、手伝いもしない、昼間寝ている、夏休みなのに何もしてないじゃないか」という様子らしかった。昼間寝て夜活動するというパターンだけ見れば、確かに去年と変わっていない。

表面的には変化無しに見えているところが情ないのだが、私にはわかっていた。去年までとはファイトが違う。こんなファイト、今まで感じた事がない。自分はファイトなんて無い人間だと思っていたが、あったんだ、と思うと新鮮な気がした。

八月の締め切りギリギリに間に合い、作品が完成した。私は、最後にこのまえ思いついたペンネームを原稿に書いた。なんか、すごく照れ臭かった。

急いで郵便局へ封筒を持って走った。郵便局の帰り道、文房具屋へ寄って漫画用紙を買った。もう今日から次の投稿作品を描こうと思っていた。九月の締め切りに間に合うようにするには、今日から取りかかった方が良い。(中略)

十月になり、八月に送った作品の成績が載っている雑誌の発売日がやってきた。学校にいても落ちつかなかった。〝もう、店に並んでいるんだろうな。私の漫画、どうだったのかな。早く見たいな…〟と、同じ事を何回も思っていた。

もしかしたら、何かの賞に入賞しているかもしれないという気がすごくしていた。前回より、断然手応えを感じていた。でも、あの作風が、全く評価してもらえないんじゃないかという不安もあった。

もしも今回、入賞していなかったら、もう漫画を描くのは本当にやめる事にした方がいい。あの作風でダメだったら、漫画は私には向いてないと思おう。

と、覚悟した。やるだけやったんだし、ダメだったらまた何か他を考えよう。今は他には思いつかないけれど、そのうち何か思いつくかもしれない、とダメだった場合の時の事まで早くも考えていた。少しぐらい自信があっても、夢なんてそう簡単に叶うもんじゃない。そう思っていないと、現実の壁にぶち当たった時のダメージがものすごく大きいから、今回は用心して心に予防線を張ったのだ。

学校の帰り道、スーパーに並んでいた雑誌を買った。前回は、買ったとたんにすぐ見てしまい、大ダメージを受け、スーパーから家まで帰るのも大変だったので、今回は家に帰ってから見る事にした。

帰る途中で、何回も見てしまいそうになった。気になって気になって仕方なかった。なんとか見ないで家に着き、急いで雑誌の投稿ページを開くと、さくらももこというペンネームと共に、私の描いた絵が小さく載っているのが見えた。入賞したのだ。腰が抜け、尻もちをついた。そしてそのまま数秒間立てなかった。
これまでの人生で、いろいろうれしい事はあったが、これよりもうれしい瞬間というのは体験した事が無かった。今後、またこんなうれしさがあるといいなとは思うが、たぶん人生で二度は無い気がする。
入賞したと言っても、たいした賞ではなく『もうひと息賞』という、その名の通りもうひと息だからガンバレという賞だったので、まだデビューできるわけではなかったが、絶対に叶いっこないはずの夢が、もうひと息で叶うかもしれないという状況になったのだ。（後略）
（さくらももこ「新しいスタート」『〆切本2』左右社、二〇一七年）

まさに「スタート」を切る直前を描写した作品。「ちびまるこちゃん」同様、わたしたちの日常生活に近い息遣い、すぐそばにいるような気がします。書き出しの家族の言葉は「漫画」をゲームや動画に置き換えたら自分のことを言われた気がしませんか。
さて、「きっかけ」がどのように書かれているのか見てみましょう。まず、「漫画家としてデビューを決意した」きっかけとなったできごとは何でしょうか。すぐ見つかるのが「雑誌へ投稿した作品が入賞したこと」ですね。雑誌に載る選考結果を見るまでの不安、入賞を知ったときの喜びが「腰が抜ける」「立てなくなる」など全身を使ってあらわされています。教室で読んだとき、「ぐっときた」表現を挙げてもらったら、一番多かったのが「たぶん人生で二度は無い気がする」でした（実際、この続きにつながる重要なキーセンテンスです）。受賞当時、いかに大きな幸福感に包まれたのかよくわかります。

しかし、もし、この小さな、そして大きな一歩である「受賞」というできごとを書くなら「十月」から書き出してもよいではありませんか。なぜ、夏休み前の家族の言葉から書き出したのでしょうか。

冒頭に戻ってみましょう。家族の言葉に続く言葉は「家族はわかってないのだ」。家族から見れば「漫画を描いている」姿には変わりはない。しかし、筆者の中で「少女漫画」ではなく「エッセイ漫画」を描くという選択、つまり大きな変化が起きていたのです。「様々な困難に襲われ、自信を失い、弱気になっていたが今回は違う」「できる気がするというより、できない気がしないと言った方が微妙に正確かもしれない」と、そのときの気持ちの変化や心を込めて丁寧に描こうとする熱意が表現されています。筆者にとって一番の転機は「エッセイ漫画」に出会い、それを自分の表現として選択したことではないでしょうか。「受賞」につながるエッセイ漫画での投稿に舵（かじ）を切った部分から順に時系列で書き進めているため、原因と結果の関係がよくわかる展開になっています。

原因と結果を示すとき、結果を述べて遡る方法と時間順に原因から結果に至る経過を述べる方法があります。ミステリー小説やテレビドラマでは結果を先に見せ、犯人は誰か、どのようなトリックがいつ行われたのかなど疑問を投げかけることで読み手の注意を引きます。

一方、時系列、つまり時間順に述べるときは順を追って進むわかりやすさはありますが、どこが焦点なのかが曖昧にならないように話題のつながりや変化を明確にする必要があります。

あなたは読み手にどんな印象を与えたいですか？　時には立場を変えて考えてみましょう。

題材を選ぼう

ここまでに時間の配置やモノやできごとから心の変化を捉えるか、心の変化からできごとを見つめ直すかといったアイデアを得ることができました。では次に自分が書くときの題材を考えてみたいと思います。

その際、「誰に」対して伝えるかも考えてください。教室で書く課題の場合、対象が明確に指定されていないことが多いと思います。しかし、対象がはっきりしないと言葉を選びようにもねらいが定まりません。たとえば、ふいに「高校生の必需品は何ですか？」とわたしが教室のみんなに尋ねたとします。「えー、スマホ、鏡、ドライヤー」(十七歳女子)「んーと、動画、ポテチ、メシ」(十五歳男子)でした。これが「では、わたしは大学入試の面接官です。もう一度聞きます。高校生の必需品は何ですか？」。すると「はい、教科書、辞書、定期券です」(先の十七歳女子)。場面と対象によって提示する情報や受け答えまで変わっています。相手に自分をどう見せたいのか？　その主導権は書き手にあります。自然に切り替えていることが多いのですが、場面や対象に応じた題材の選択、表現の工夫は相手に適切に伝えるためには大切なことです。

特に今回のように自分の心の動きをそっと伝えるときは、あなた自身で伝える相手を決めておきましょう。たとえば、クラスメートの誰か、あるいはしばらく会っていない遠くに住む友だちなど気心知れた相手でもいいですね。初めての自己紹介用に考えるなら、複数の読み手を想定しておくと安心です。

さて、いよいよ題材を考えましょう。どんな「きっかけ」を取り上げましょうか？　考える「はじめの一歩」の例をあげます。

案Ａ　今、もっているもので一番古いもの

案B　二番目に好きな本
案C　今日までの人生における「選択」

案A〜案Cを見て「おっ、これで書けそう」とすぐに思い浮かぶ場合はけっこうです。どうぞそのまま、できごとやモノとの出会いを思い出してくださいね。

しかし、何も浮かばないという場合もあります。実際、思いもしないお題で書かざるを得ないことはこれからいくらでもあります。そんなときは手を動かしてブレーンストーミング。自由に発想を広げてみましょう。

たとえば、案Aだったら手近にあるペンケースの中身を全部だして一番古いものを探してみましょう。自宅でしたらその部屋にある一番古そうなものって何ですか？　日用品は毎日の生活にすっと溶け込んでいます。たとえば、精神科医の野田正彰氏は日用品について次のように述べています。

私たちの生活する空間は「もの」で満ちている。私たちは「もの」を眺め、触り、使い、在るべきところに在ることを確認して一日を終わる。景色とともに、「もの」と

「ものの布置」は私たちの心の重要な構成となっている。
（野田正彰「人と「もの」をめぐる精神分析」『道具の心理学――いまモノ語りが始まる』
ＩＮＡＸ出版、一九九九年）

「布置」とは「物を適当に配置すること。また、そのありさま」（『広辞苑』）です。その場所に在るはずのものがないと落ち着かないように、長く手元に在るものは気持ちの上でもそのポジションを獲得しているのです。一番古そうなものが見つかったら、いつ、どこで出会ったか、今までどんな思い出があるか、なぜ、現在まで手元にあるかなど「今、ここに在る」きっかけになったことを思い出してください。このように取り上げる一つのものが具体的に決まったら、それを中心においてマッピングで言葉が「見える」ように書き出すとよいでしょう。主要な「幹」に「いつ」「どこで」「なぜ（在るのか）」を配置すると状況や場の説明の思い出しに役立つだけでなく、基本的な情報を順序だてて説明することにも役立ちます。三分から五分程度、書き出したら、関連のあるもの同士を結び、見出しを付けていきましょう。そして「きっかけ」を語る上でふさわしい語群を選んでください。そのモノとの出会いから今ここに至るまでにどんな話題が思い出せますか？　できるだけ具体的に思い出したら、伝えたいことの中心を考えてみましょう。

モノを見つめて気づくこと

ここでは、自宅の机周りで「一番古いもの」を探したMくんの例を見てみましょう。今回の読者は級友です。まず、マッピング(図4・2)を見てみましょう。

次にこのマッピングをもとに「リュックサック」について話してもらいました。聞き手のJさんが採ったメモを見てみましょう。

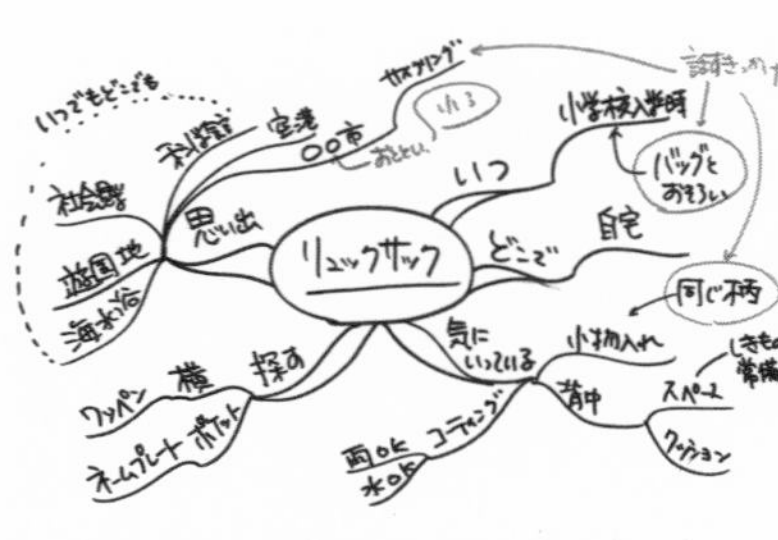

図4・2　一番ふるいものマッピング（Mくんの例）

一番古いもの　「国旗がいっぱい描かれているリュックサック」

- 小学校入学のとき、通学バッグと一緒に同じ柄で買ってもらった。
- 小学生のとき「通学バッグとおそろいだねー」とよく友だちに声を掛けられた。
- 気に入っているところは、前に小物入れのスペースがあるところ。あけると中にも同じ旗の柄がついている。このことに気づいたのは自分じゃない。後ろから友だちにあげてもらったとき、その子が気づいてそこから話すきっかけになった。（Ｊさん：え、その子ってだれ？　何？　なに？　くすくす）

•今日、横のポケットを探ったら空港見学のときもらったワッペンがでてきた。キャラクターは謎の旅人Ｘ。夏休みに中学校のクラブの仲間と一緒に行ったっけ。帰りに雨が降ったけどビニールコーティングされていたから自分だけ平気だった。本当にどこでもこのリュックで行ったなぁ。

•内側に敷物を入れるスペースがあり、いつも小さなビニール風呂敷を入れている。「あ、敷物、わすれた！」というときに何度も助けられた。

•背中のクッションが三層にわかれていてやさしい肌触り。背中にしっくりくる。

•自転車の前かごに収まるし、使い勝手がいいから、いつでもどこでもあるのが当たり前。

•でも、一昨日、出かけるとき小ぶりのバッグを探していて久しぶりに背負ってみたら、ちょっとだけ肩に食い込んだ。少し迷ったが、片方の肩にひっかけて行った。新しく入った将棋クラブのメンバーに「その柄、いいっすね、味があるっつーか」と声を掛けられた。

Jさんは「あー、だから「話すきっかけ」って見出しなんだ。リュックの旗の柄がきっかけで人との出会いの思い出につながっているんだね」とマッピングを見ながらつぶやきました。「そう、そう」と頷（うなず）くMくん。「でも、肩に食い込むってことはもう小さいんじゃない？」とJさんが尋ねると「使い勝手がいいしまだまだ現役！……たぶん、しばらくはね」とMくん。リュックから「話すきっかけ」を見つけたMくんは、今度は自分から話しかけるきっかけを見つけていきたいと考えているようですよ。

ところで、案B、案Cを選んだあなたへ。考える手がかりをご紹介します。まず案Bの「二番目に好きな本」です。自己紹介のときなど「一番好きな食べ物は何ですか？」と何かと一番を聞きたがるものです。しかし、二番目となると一番は何か考えますし、複数の候補から順位付けすることも考えられます。もしくは消去法で苦手なものから外すなどいろいろ探ってみる発想がはたらきます。今回、「二番目に好きな本」としましたが、そもそも「本」が好きかどうかがわかれるところです。せっかくの機会ですから、現在までの読書生活を振り返ったり、図書館をぶらぶら歩いて過去に読んだ本を思い出したりすることをおすすめします。また、最近は電子書籍やオーディオブックも増えてきました。「紙で読むなら」「スマホで読むなら」「朗読を聞くなら」と読書のスタイルを具体的にイメージしてみるのもいいでしょう。「映画よりぐっときた原作本」や「ドラマの原作マンガ」というくくり方もありますね。わたしは「次に読む本こそ生涯における愛読書」と思って毎回表紙を開くので好きな本が増えました。あなたならどのようにして「二番目」を見つけますか？

それから案Cの「今日までの人生における「選択」」。これはなんだか重そうですね。ここで大切なのは、書く題材として選ぶとき、他人から見た「大きい・小さい」、「重い・軽い」を優先しなくてもよいということです。選択や決断に大きい・小さい、重い・軽いの区別はありません。人がそれぞれ何かを選んで決断して、その繰り返しで今日を生きているのですから。むしろ、その繰り返しであるが故に、自分のターニングポイント(転機)を振り返っておくことは次の選択や決断にも役立ちます。他人から見てという点で大切なことがあるとすれば、自分のものの見方や考え方をこんなに揺さぶる決断であったということを客観的かつ具体的に伝える必要があるということです。自分の経験は自分だけのもの。だからこそ、他人とわかり合うために誰でも知っていることから始めたり、いいたとえを考えたりするのです。こう考えると人生における重要な「選択」は、言葉選びかもしれません。

「心の動き」から伝えたいことをつかもう

ここまで「はじめの一歩」を踏み出す手がかりを考えてきましたが、具体的な場面の設定があなたの自由な思考を妨げていたとしたら……ここは直球勝負でいきましょう。まず「〇〇するきっかけ」と書いてください。次に「〇〇」に入る言葉を出します。つきあってくれる友だちがいたら「〇〇するきっかけ」でチャットしてもいいですよ。相手の言葉にのっかる勢いであれこれまず出してみる。そんなわくわくが大事です。

たとえば相手の「買う」きっかけ、「部活に入る」きっかけ――これらは新しいチャレンジのイメージです。「〇〇する」のあとにどんな気持ちが来るのかあてっこするとおもしろいですよ(「買う」きっかけ＋わくわく、「部活に入る」きっかけ＋どきどきなど)。

一方「断る」きっかけ、「謝る」きっかけ、「注意する」きっかけ、こちらは言いにくいことを思い切って言う場面ですね。こんな言葉でふとよぎるということは、何かに困っていますか？　なんとかしなきゃ、向き合おうとする気持ちがあってもいざどうやって伝えたらいいのか、言葉に困ります。ためらい、戸惑い、思い切りといった心の動きが想像できます。

こうして見ると「きっかけ」を探すことは、状況や人間関係を自ら変えていく機会を狙うことといえそうです。つまり、相手の様子をよく見て切り出すタイミングをはかっている。自ずとできごとや人の動きに注意を払っている状況です。そこにあなたが「ここだ」とつかんだ間合いで言葉を発したり行動を起こしたりするわけです。まさに「できごと」と「心の動き」を捕まえるにはうってつけの場面です。

ぜひ、あなたの大切な分岐点——「きっかけ」をいくつか思い出してください。そしてこれからの出会いの場面や次の分岐点では、今のあなたを形作っている「きっかけ」を言葉にして伝えてみましょう。きっとあなたのものの見方や考え方をいきいきと伝える機会になると思います。もし、うまく伝えられなくても大丈夫。あなたとのふれあいの中で、あとからその意味がわかってくることもあるからです。目に見えるものだけが結果ではありません。実際、言葉自体は目に見えません。文字という形を与えられ、辛うじて目に見えるのです。音をまとうので耳で聞こえるだけのこと。言葉の本当の価値は文字や音を通して時代や時間、場所を超えて、誰かの考えや思いを伝えることにあると考えます。

バズったワードはその瞬間、多くの人を盛り上げ話題を提供します。同じ話題を共有できる楽しさ、これも言葉の力です。しかし、次のワードが人気を得たら忘れ去られるのも事実。だからこそ、あなた自身の「心が動いた」言葉を見つけてほしいのです。友だちのつぶやきや本の中で出会ったひとことをしっかり受けとめる体験が言葉を使うときの土壌を作ります。そうそう、先にでてきたMくんがいい言葉を教えてくれました。

「いいときは忘れなさい。」

これは将棋の大山康晴十五世名人の言葉です。「人生苦境に立ったときの立ち直りというのは、いいときの、いいころの夢というのですか、メンツというのですか、そういうものを忘れ去ることで本来の姿に立ち直れると思います」とのこと(『ＮＨＫ将棋講座』日本放送出版協会、一九九二年十月号)。はっとさせられる、逆説的なひとことと。気持ちと表現が結びついた生きた言葉です。こんな言葉との出会いから相手の心に届く言葉や素直な言葉の伝え合いを考える「きっかけ」をつかんでほしいと思います。

コラム
「旧字より新字が難しい!?」

先日、ドイツ文学者の義姉と、小さい時に漢字を覚えるのが大変だったという話になりました。小中学校の頃、毎週のように漢字テストをやらされ、大いに苦しんだという人は少なくないでしょう。日本語を学ぶ外国人からも、漢字が多くて困るという悲鳴はよく聞きます。たしかに複雑でちょっと覚えにくい漢字、それにさらなる混乱をもたらしたのが、実は現行の新字体だというお話。

新字体ができたのは第二次大戦後、歴史的には比較的新しい字体です。終戦の翌年の一九四六年、漢字は学習が難しいとして将来的に全廃する計画が持ちあがり、それまでの移行期間に使ってよい一八五〇字を定めた「当用漢字表」が告示されました。これに追随する形で、一九四九年に旧来の字体をおおむね簡略化する方向、特に手書きの文字に近づける方向で定められたのが新字体です。もっとも、漢字の全廃はさすがに無理で、一九八一年に九十五字増やした「常用漢字表」に改められましたが、字体は当用漢字からほとんど変わっていません。
簡単になったのなら覚えやすいようですが、そうとも言えないのが問題です。たとえば、小二で習う漢字に「海」「母」があります。ところが当用漢字表ではなぜか、旧字「海」だけテンテンをつなげたものだから、母はテンテンなのに海を海と書いてはだめ、という変なことになりました。小学校の時、友達が実際にバツをくらって怒ってました。毎・悔・梅・敏・繁も全部つなげられた一方、表から落ちた苺(いちご)は、今でもよく見るのに母のままです。

漢文で「毋(なかれ)」という字を見たよ。これと紛れるから母はつなげなかったんじゃない? うーん、どうでしょうね。旧字「藝」は、「芸(うん)」(香る草)という読みも意味もまったく別の字があるのに、無理に芸を新字にしてしまいました。これを嫌い、今も藝を使う人が少なくないのはそのためです。

成り立ちを知れば簡単なのに、字体が変わって、かえって意味がわからなくなった字もあります。

旧字「吿」は、生贄(いけにえ)の牛を捧(ささ)げて、神様に口で何か言うことですけど、テストに牛で書いたらバツでしょう。「突」は、穴から犬が飛び出してくる意味ですが、大きな穴にしてしまった新字「突」では意味不明。犬ネタでもう一つ、「臭」は犬が「自」(鼻です)でにおいをかぐことなのに、新字「臭」では単なる大きな鼻ですね。ちなみに「自」が自分の意味になったのは、鼻が自分自身の象徴だからです。

「雪」の旧字は、下の部分がヨでなく、中棒が突き抜けていました。これは横にしたほうきで(そう見えるでしょ?)、掃(は)ける雨が雪です。現在、ほうきはたいてい「箒」と書きますが、これは竹ぼうきが多いから竹冠がついただけで、本来は「帚」、ほうきを立てかけた形です。だから、手でほうきを持つと「掃」、「婦」はほうきを持った女、「帰」は旧字「歸」で、無事な帰着を祝ってほうきで周囲を清め、神様に𠂤(肉の形です)を捧げたところ、それにあとから「止」をつけて意味を明確にしたのでした。

それがみんなヨにされて、ほうきの持ち手がなくなっちゃった。でも、別に簡単になんかなってませんよね。もちろん、表に入らなかった箒・帚や、ほうき星の「彗」は突き出たままです。

そしてもっと困るのは、表にない字は使うなと、熟語を勝手に書き換えてしまったこと。「交叉点(こうさてん)」が有名ですね。「叉」は指でものを挟んだところ、また交わる点を示すたった三画の簡単な字なのに、表に入らず、段差の「差」に換えられたので、難しいうえに意味もなさなくなった。でもさすがに音叉↓音差は無茶で、「音さ」という変な表記になりました。

また「戟（げき）」（武器のほこ、ほこで刺すこと）が落ちたため、刺してつっつく「刺戟（しげき）」が書けなくなって、「刺激」とこれも画数が増えた。そんなに激しく刺したら、もうシゲキどころじゃないでしょう。どだい意味がわからないのに、それを覚えろというのはいささか無理筋です。

たしかに、小一に「學」は難しく、「学」としたのはわからないでもありません。でも、「步」→「歩」は画数が増えたし、「內」→「内」みたいに、ハコに「入」るという成り立ちを壊しながら、簡略化の効果がまったくない字もあって、本当に必要な改革だったのか考えてしまいます。とはいえ、近い将来に旧字が戻るとも考えにくい。漢字が苦手で困っている人、ならばいっそのこと、こうやって新字の謎を調べてみると、意外にすんなり覚えられるかもしれませんよ。

こちらは漢字の背後にある、〈裏の物語〉でした。

（出口智之）

第五章　言葉の地図を手にいれる
──そして新たなる旅立ちへ

仲島ひとみ

国語って何だろう?

いよいよ冒険も終わりに近づいてきました。最終章では、あえて根本的な疑問に立ち返ってみたいと思います。

そもそも、「国語」とは何なのでしょうか?

国語はどうして「国語」って言うのでしょう。どうして国語の授業では、現代文だけでなく古文や漢文も勉強したりするのでしょう。いったいどこからどこまでが「国語」なのか、そしてその外側には何があるのか。大きく見取り図を描いてみることにいたしましょう。

「国語」とは読んで字のごとく「国の言葉」という意味ですよね。そこで実際にどんなことを勉強しているかというと、日本語で書かれた文章を読んだり書いたり、話したり聞いたりしています。基本的に日本の国内で使われるのは日本語ですから、日本語の読み書きを学ぶ教科が「国語」と呼ばれていても、特に不思議とは感じない人が多いかもしれませんね。

わたし自身、小学校の頃から「国語」という教科が好きで、教科書の文章を読むのも好きでしたが、その表紙にある「国語」というタイトルを疑ったことはありませんでした。
しかし、たとえばアメリカやイギリスでは、日本の「国語」にあたる教科は「English」といいます。「National Language」ではありません。「好きな科目は国語です」とアメリカに住む中学生が英語で言うとしたら、「My favorite subject is English.」となるでしょう。そして、同じことを日本の学校に通う中学生が英語で言うなら、「My favorite subject is Japanese.」になるはずです。「Japanese」すなわち「日本語」ということです。どうして、日本では教科の名前が「日本語」ではなく「国語」なのでしょう。
かつて、中学一年生の英語の時間に「国語はJapaneseなのか！」と知って驚いたひとりの女の子がいました。彼女の名前は、温又柔。日本語では「おん・ゆうじゅう」と読みます。台湾人の両親とともに、三歳になるかならないかという頃から日本で暮らしていました。中国語では「ウェン・ヨウロウ」という音の名前を持つ彼女の驚きは、ここで終わりませんでした。

（それじゃあ、わたしがずっと台湾で育っていたら、わたしの国語はJapaneseではなく、Chineseだったということか……）

（温又柔『「国語」から旅立って』）

のちに小説家となった彼女は、『「国語」から旅立って』という本の中でこの体験を語っています。台湾（中華民国）のパスポートを持って、日記帳には日本語をつづり、家では両親の中国語と台湾語が入り交じった言葉を聞く。台湾では福建省の辺りの言葉にルーツを持つ台湾語を多くの人が話しますが、「國語 guóyǔ」（台湾も「国語」なんですね）として学校で教わるのは北京の言葉をベースにした中国語です（漢字は繁体字を用います）。日本に暮らして日本の学校に通った温さんは、日本語が一番得意な言葉になりましたが、台湾に育って台湾の学校に通っていたら、中国語で小説を書く人になっていたかもしれません。

日本語が得意な現実の温さんと、中国語を話していたかもしれない可能性としての温さん。そのふたつの道を分けたのはほんの偶然にすぎません。たまたま暮らした環境がどのようなものだったかで、習得する言語は変わります。それは家族とすら違うことがあります。国籍が決まっているからといって、その国の言葉が自分の言葉になるとは限らないのです。

つまり、こういうことです。

個人の言葉と国家の言葉は違うということ。

英語の時間の出来事は、温さんが大人になってから向き合うことになる「国語とは何か」

「国家とは何か」「国民とは誰か」という問いの端っこに触れた出来事でした。

個人の言葉と国家の言葉

もう一つ、一五〇年ほど前にフランス語で書かれた物語からこの問題を考えてみましょう。少し前まで日本の国語教科書にも載っていた「最後の授業」という短編小説をご存じでしょうか。今でも子ども向けの本として出ているので読んだことのある人もいるかもしれませんが、簡単にあらすじをご紹介しましょう。こんなお話です。

舞台は十九世紀後半、フランスとドイツの国境地帯であるアルザス地方のとある村。フランツ少年は、学校に行ってびっくり。いつもの教室の後ろに村中の大人たちが詰めかけています。聞くと、今日がフランス語のアメル先生の最後の授業だというのです。なぜなら、フランツ少年たちの住む村は、フランスがプロシア(ドイツ)に戦争で負けたために、今度からドイツのものになり、学校ではドイツ語しか教えてはいけないことになったからです。アメル先生はこれが最後になる授業で、フランス語がいかにすばらしい言語か、自分たちの言葉を守ることがどれだけ大切かを説きます。

それから、アメル先生は、フランス語について、つぎからつぎへと話を始めた。フランス語は世界じゅうでいちばん美しい、いちばんはっきりした、いちばん力強い言葉であることや、ある民族がどれいとなっても、その国語を保っているかぎりは、そのろう獄のかぎを握っているようなものだから、私たちのあいだでフランス語をよく守って、決して忘れてはならないことを話した。（アルフォンス・ドーデー／桜田佐訳「最後の授業」）

教室の村人たちも、アメル先生の授業を真剣に聞きました。そして十二時の鐘がなると同時に、プロシア兵のラッパが窓の下で鳴り響きます。アメル先生は最後に黒板に「フランスばんざい！」と大きな字で書き、最後の授業を終えるのでした。

感動的なお話ですね。「ろう獄のかぎを握っている」ということは、たとえ囚われの身となり自由を奪われても、自分で自分を解放できるということです。つまり、人間の自由を保障するのは「国語」だということ。自分の言葉を大切にしようという力強いメッセージは、国語の教科書にぴったりと思われたのでしょう。このお話は、戦前から戦後にかけて多くの教科書に載っていました。ところがある時期、具体的には一九八六年以降、ぱったりと教科書に載らなくなりました。いったい何があったのでしょうか。

一つの要因と考えられるのが、一九七〇年代の終わりから一九八〇年代の初めにかけてこの作品に対して提出された、いくつかの厳しい批判です。

小説の舞台となったアルザス地方は、ドイツとフランスの間にあって、戦争のたびごとに国境線が変わり、ドイツ領になったりフランス領になったりしていた場所です(ちなみに現在はフランス領です)。それで、この地域の土着の言語(アルザス語)は、フランス語よりもむしろドイツ語に近いのです。たとえば「小さい」という意味の単語はアルザス語で「klai」といいます。ドイツ語では「klein」ですから、よく似ています。一方、フランス語は「petit」です。全く違いますね。アルザス語で育った人たちにとって、フランス語はドイツ語よりも遠く、努力しなければ身につかないものだったでしょう。

つまり、アメル先生はフランツ少年たちに自分たちの言葉を守ることが大切だと説きましたが、実はアメル先生こそが、アルザスの人たちに自分たちの言葉(アルザス語)とは違う言葉(フランス語)を押しつける立場だったのです。

その証拠に、アメル先生は次のように言います。

ああ！　いつも勉強を翌日に延ばすのがアルザスの大きな不幸でした。今あのドイツ人たちにこう言われても仕方がありません。どうしたんだ、君たちはフランス人だと言いはっていた。それなのに自分の言葉を話すことも書くこともできないのか!……

この「自分の言葉を話すことも書くこともできないのか」というアメル先生のセリフは、うっかりしていると「読むことも書くこともできないのか」と頭の中で勝手に直して読んでしまうかもしれません。子ども向けの本の中にはそのように改変されているものもあります。しかし原文でははっきり「parler」(話す)という単語が使われています。生まれ育った自分の言葉なら、読み書きできないことはあっても、「話すことができない」なんてことはありません。しかし、アルザスの人たちにとってフランス語は勉強しなくては話すことのできない言葉だったのです。はたしてそれを「自分の言葉」と言えるのでしょうか。

この「最後の授業」という作品は、アルフォンス・ドーデーという人が書いてパリの新聞に載せたものです。戦争に負けてアルザスを失うことになったフランス人、とりわけパリの市民に向けて、愛国心や感傷をかきたてるような書き方をしているわけです。でも、実際にアルザスの人たちはどう感じていたのでしょうか。フランス語を習えなくなることを「自分の言葉が奪われる」と感じる人はどれぐらいいたでしょうか。

こんなふうに、「最後の授業」は複雑な背景がある中で、かなり政治的な意図をもって書かれている作品なのですが、「それを単純にいい話みたいにして教科書に載せていいの？」というのが批判のポイントでした。田中克彦という社会言語学者は、著書『ことばと国家』の中で「背景をよく考えてみると、「最後の授業」は、言語的支配の独善をさらけ出した、文学などとは関係のない、植民者の政治的煽情の一篇でしかない」とまで書きました。かなり厳しい批判ですね。そして、このような批判がいくつか続いた結果、かつてはどの会社の教科書にも載っているような定番教材だったのに、一九八五年度を最後に、ぱったりと採用されなくなってしまいました。

この「最後の授業」とその批判からも、国家の言葉と個人の言葉は違うということがわかります。その場所を支配する国が変われば、公的に使われる国語が一日にして変わってしまうこともあります。しかし、小さい頃から覚えてきた、それによって生きている自分の言葉が、一朝一夕に入れ替わるなんてことはありません。

小さい頃から覚えてきた自分にとって一番親しい言語(フランツ少年にとってのアルザス語)のことを、「第一言語」とか「母語」とかいいます。母語とは生まれて最初に覚える言語のことですが、学びとる相手はもちろん母親に限らず父親やほかの養育者であってもかまいません。また、「母語」や「第一言語」と呼べる言語が複数ある場合もあります。
人間を自由に解き放つ「ろう獄のかぎ」になる言葉というのは、本来はまずこのような母語のことだと考えていいと思います。わたしたちが世界を認識し、思考するのを支えてくれるものだからです。

これに対して、国家の言葉は、公文書や学校教育など、その国で公式に用いられる言語です。ふつう国民の多くが話す言語が採用されます。言語と民族と国家がイコールで結ばれるというのが近代の国民国家の典型的なイメージでした。

もちろん、国内に異なる言語を話すグループが複数ある場合は、一つの国で公用語が複数定められる場合もあります。たとえばカナダは英語とフランス語、ベルギーはオランダ語・フランス語・ドイツ語が公用語になっています。

とはいえ、すべての人の母語が国語に採用されるとは限りません。国家の言葉が自分の母語と異なる言語である場合、国語を身につけて使いこなすのはそれなりに苦労をすることになります。「どうせ苦労するなら、はじめから公式に通用する言葉だけ使えればいい」と考えて、小さい頃に親から習い覚えた言葉を使わなくなってしまうこともあります。こうして、少数言語の話し手はだんだん減っていき、ついには言語が消滅する危機を迎えることにもなります。実は日本にもそんな消滅危機言語があるのですが……この続きはまたあとで見ることにいたしましょう。

日本の「国語」ができるまで

では日本の国家の言葉、わたしたちの知るような「国語」はいつできたのでしょうか。その答えは、日本に「国家」といえるような体制ができたのがいつかを考えれば想像がつくでしょう。そう、明治時代です。

江戸時代までの日本では、地方ごとにバラバラの言葉を話していて、現在のような全国共通の話し言葉がありませんでした。漢文訓読体の書き言葉は広く通用したようですが、書き言葉と話し言葉の距離はとても大きく開いていました。それでも、藩ごとにその土地を治めるしくみの中ではさほど困ることはありません。しかし、日本が開国して一人前の国民国家としてやっていこうとなった時、学校や軍隊で使える国家の共通言語が必要になりました。

この辺りの事情を井上ひさしが『國語元年』という戯曲でユーモラスに描いています。明治七（一八七四）年、「全国統一話し言葉」の制定を命じられた役人・南郷清之輔は、その仕事の必要性を家族や使用人に対して次のように語ります。

清之輔　……エー、それでは何故、全国統一話し言葉チューものをお上は必要としとられるのか、道みち考えてきチョッタことを言うならば、まず、兵隊に全国統一話し言葉が要るのジャ。たとえば、薩摩出の隊長やんがそこにおる弥平の様な南部遠野出の兵隊に号令ば掛けて居るところを考えてミチョクレンカ。いま、隊長やんが薩摩のお国訛りで「トツッギッ（突撃）！」と号令した。弥平、何のことか分ったかの？

弥平　（堂々と）私は分りません。

薩摩(鹿児島県)出身の隊長が、南部遠野(岩手県)出身の隊員に、自分の言葉で命令をしても通じない。これでは軍隊として機能しません。どこの出身の人であっても通じ合えるような話し言葉を作る必要があったのです。

これまでバラバラに暮らしてきた人たちを、共通の言語によって同じ「国民」として統合すること。これは近代国家を目指す日本にとって非常に重要なことでした。

明治初期を舞台にした『國語元年』の劇中では、明治維新で功績のあった藩の方言を中心に採用したり、人工的な語尾を発明したり、といった試行錯誤の様子が描かれます。現実の明治政府も、日本の近代化に向け、国語の問題を重要なものとして取り組みました。明治三十年代に国語調査委員を委嘱し、その後「国語調査委員会」を機関として設置します。「内に向かっては、国民的教養の大衆化のための国語の統一と学習の平易化を図る必要から、国語・国字改良の機運が生まれてきた」（文部科学省ホームページ）ためでもありました。

同じ頃には、書き言葉を話す言葉に近づける「言文一致」の運動や標準語運動等が起こりました。それらは、やがて「言文一致」の文体で小説を書いた作家たちの試みや国語の教科書の中で実現されるようになり、東京の言葉をもとにした標準語が全国に広まっていきました。

標準語の制定は、規範、つまりみんなが従うべきお手本を定めることでもありました。東京の言葉をもとにお手本を定めたということは、同時に、それ以外の地域で話されていた言葉は、規範から外れたもの、場合によっては劣ったものとされることになります。実際、明治の半ばに出された「中学校教授要目」（現在の「学習指導要領」にあたるもの）では、一年生の国語の「講読」のところに「国語ハ発音ニ注意シ特ニ方言的発音を矯正センコトヲ力ムベシ」（矯正するように努力しなければならない）とあり、それは上の学年まで引き続き注意すべきこととされています。

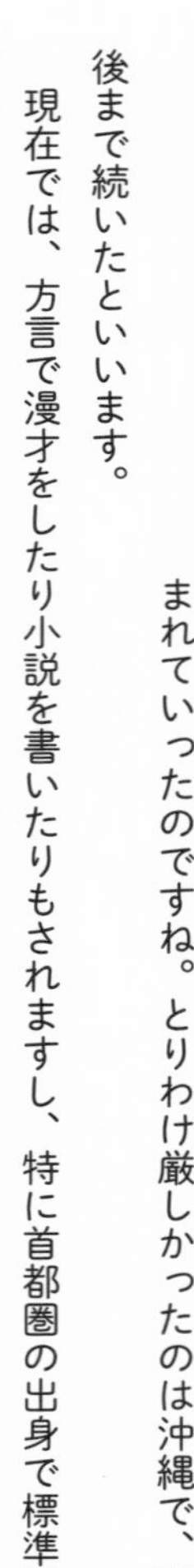

図5・1　方言札(複製)(沖縄県平和祈念資料館提供)

　ここから、方言を撲滅せよという流れも生まれてきます。学校で方言を話すことを禁じられ、話してしまった児童・生徒が「方言札」(図5・1)という木の札を首からかけられるといったことも行われました。この札をかけられたら、ほかに方言を話した人を探してその人の首にかけるまで外せません。そうして、方言を話すことが恥ずかしいことであるとすり込まれていったのですね。とりわけ厳しかったのは沖縄で、戦後まで続いたといいます。

　現在では、方言で漫才をしたり小説を書いたりもされますし、特に首都圏の出身で標準語が母語となっている人の中には、方言にあこがれる人も少なくありません。標準語と方言の地位が違うと言ってもピンとこないかもしれません。しかし、全国ニュースでアナウンサーが話すのも、学校の教科書が書かれるのも、標準語です。標準語を共通語と呼び替え、かつての厳しい差別は消えたように見えても、そこには依然として格差があるのです。

　このように、中央と地方という構図の中で、標準語は地方の言葉を抑圧する位置にありました。これに加えて、今から数十年前までは、国語＝日本語が植民地において現地の言葉を抑圧することもありました。

一九四五年に戦争で負けるまで、日本の国土が今よりもずっと広かったのをご存じでしょうか。大日本帝国の時代には朝鮮半島や台湾、南洋諸島などを統治し（図5・2）、当然ながらそこでも日本の国語（日本語）が教えられました。その際、現地の言葉を禁じて日本語を強制することもあったのです。

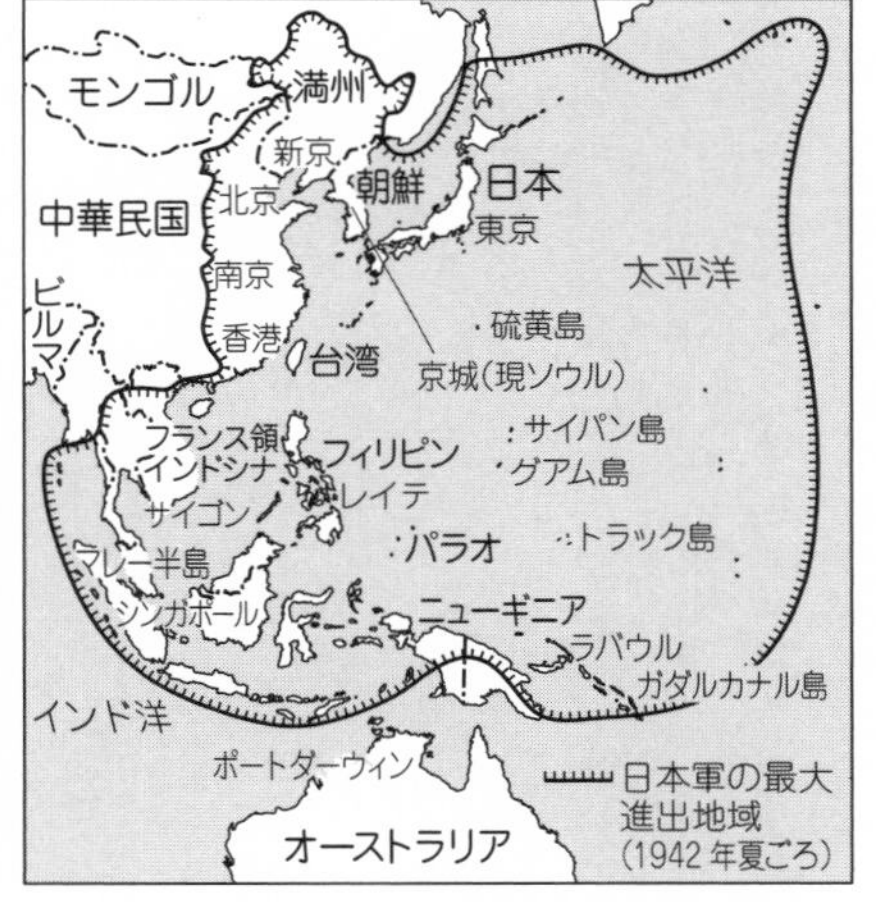

図5・2　日本軍の最大進出地域（1942年夏ごろ）．地図のやや真ん中にパラオが見える

たとえば、第三章で読んだ「山月記」の作者・中島敦は、一九四一年から一九四二年までパラオの南洋庁で国語教科書編集の仕事に携わっていました。彼は島の人たちに日本語を教え込むという仕事にあまりやりがいを感じられなかったようです。日本人教師らの生徒への高圧的な態度を目にし、妻に宛てた手紙の中でこのように書いています。

今度旅行して見て、土人の教科書編纂といふ仕事の、無意味さがはつきり判つて来た。土人を幸福にしてやるためには、もつと〳〵大事なことが沢山ある、教科書なんか、末の末、の実に小さなことだ。所で、その土人達を幸福にしてやるといふことは、今の時勢では、出来ないことなのだ。

（一九四一年十一月九日タカ宛て書簡、『中島敦展』図録、神奈川近代文学館）

「土人」というのは差別的な表現なので今では使われませんが、当時、島に暮らす現地の人たちのことを指して言っていました。日本語を現地の人に教えても現地の人の幸福にはつながらない。そして、当時の統治のしくみの中で、日本人として彼らを幸福にすることは難しいと、中島敦は感じたのですね。彼はその後、持病のぜんそくが悪化したこともあり、一年足らずで帰国してしまいました。

中島敦は少年時代を日本の植民地だった朝鮮半島の京城(現・ソウル)で過ごしていて、その経験を下敷きにした作品も書いていますが、朝鮮半島では南洋諸島よりもさらに厳しく日本語の使用が求められました。一九四二年の朝鮮語学会事件という言語弾圧事件を題材にした韓国映画『マルモイ　ことばあつめ』(二〇一九年)は、日本統治下で朝鮮語の辞書を作ろうとした人々の命がけの奮闘を描いています。作中では朝鮮半島各地の方言を集めて、どれを標準の単語として辞書に載せるか決める公聴会が開かれます。しかし、そうして定められた標準語であっても、国家の後ろ盾によって「国語」とならなければ、安泰(あんたい)とは言えなかったのです。

ある言語が「国語」と定められることで、ほかの言語を禁じ、それを話す人々から奪うということが実際にありました。このように見てくると、「国語」というものが暴力的な歴史を背負っていることにも気づきます。

どこまで国語?　いつから国語?

わたしたちが「国語」として学ぶのは現代日本語だけではありません。「古典」すなわち古文・漢文も学びます。古文は古い日本語であるからまだしも、漢文は古い中国語です。なぜ、「国語」として勉強する必要があるのでしょうか。

明治時代に国家による学校教育が始まって以来、「国語」(当初は「国語及(および)漢文」)という教科の中では古文・漢文が教えられてきました。しかし、前述の「中学校教授要目」などを見てみると、明治の初めの頃の古文・漢文を学ぶ理由は、今とは少し違ったようです。
明治時代前半は、まだ「言文一致」の試行錯誤の真っ最中。当時の書き言葉といえば文語文でした。文語文というのは、みなさんが学校で習ういわゆる「古典文法」にのっとって書かれた文章のことです。ですから、日常的な読み書きにおいて古文との接点を持たない現在のわたしたちと異なり、当時の人たちにとっては、古文は書き言葉を学ぶ際に直接お手本になり得るものでした。

平安時代頃に遡(さかのぼ)れば、書き言葉と話し言葉はそれほど違うものではありませんでした。鎌倉時代、室町時代、江戸時代と時代をくだるにつれて、話し言葉はどんどん変化していくのに対して、書き言葉はそれほど変わりません。明治時代になる頃には、両者の距離は非常に大きくなっていました。それをどうやって一致させるか、どうすれば話すように書くことができるか、と模索していたのが「言文一致」の運動です。そして、話し言葉に書き言葉を近づけた結果、今のわたしたちは古文との接点を失ってしまったというわけです。

ただし、書き言葉は話し言葉ほど大きく変わらなかったとはいえ、実は鎌倉時代頃に重要な変化がありました。それは、和語(やまとことば)を中心にひらがなで書かれた和文体と漢語や漢文の要素とが融合した「和漢混淆(こんこう)文」と呼ばれる文体ができたことです(「混淆」というのは、「まぜこぜ」ということです）。

漢文はもともと中国から入ってきた外国語の文章で、語順なども日本語とは異なります。昔の日本の人たちは、それを日本語として意味が通るように順番を入れ替えながら読み下していく「訓読」という方法を編み出しました。平安時代の頃は、漢文は政治や学問を行うための公式の言語で、漢文を訓読した文章も、日本語として読んでいるとはいえ、普段使いの和文の言葉とは異なるスタイル。私的なやりとりをするために使う和文（当時の話し言葉に近いのはこちらです）と交わることはありませんでした。しかし鎌倉時代以降、両方の要素が一つの文体の中で使われるようになります。

それぞれ実際にどんな文体だったのでしょうか。

平安時代の和文の代表として「源氏物語」の冒頭を見てみましょう。

いづれの御時にか、女御、更衣あまたさぶらひ給ひける中に、いとやんごとなき際にはあらぬが、すぐれてときめき給ふ有りけり。

（「源氏物語」桐壺）

和語（やまとことば）が多く使われていて、ひらがなが多いですね。省略も多いし、「に」

「が」といった助詞を介してぬるぬると文が続いていくところが、読みにくいと感じる人も多いのではないでしょうか。

次に、鎌倉時代の和漢混淆文の作品を見てみましょう。こちらの代表選手は、「平家物語」などの軍記物。こちらも有名な冒頭部分を見てみます。

> 祇園精舎の鐘の声、諸行無常の響あり。娑羅双樹の花の色、盛者必衰のことわりをあらはす。奢れる人も久しからず、唯春の夜の夢のごとし。たけき者も遂にはほろびぬ、偏に風の前の塵に同じ。
>
> （「平家物語」祇園精舎）

漢字で書かれた漢語がたくさんありますね。「〜のごとし」「〜に同じ」などの言い回しも漢文を訓読する時によく出てくる形です。比較的短い文がサクサクと続いて、先に示した和文の例と比べると、かなり読みやすく感じるのではないかと思います。声に出して読んでみるとその違いはいっそう明らかです。

実は、明治時代の文語文も、現在わたしたちが用いる口語の漢字かな交じり文も、大きく言えば和漢混淆文の子孫です。ですから、和漢混淆文で書かれている「平家物語」は、和文体の「源氏物語」に比べると、今のわたしたちにとってもずっと読みやすくわかりやすいのです。

そういうわけで、この鎌倉時代以降の和漢混淆文体の古文が、まだ文語文が普通に使われていた明治時代前半には、文章のお手本として教えられていました。

同様に、漢文そのものも文語文の上達に不可欠なものでした。なぜなら、文語文には漢語・漢文の要素がたくさん含まれていますし、日本人が漢文で書く（つまり、漢字だけを使い中国語の文法に従って書く）こともありましたから、古文だけでなく漢文もあわせて学ぶことが、日本語の読み書きを上達させるため直接的に役に立っていたのです。

ところが、やがて前節で見たように全国共通の話し言葉が模索され、文章の方も「話すように書く」ようになっていきます。「言文一致」ですね。言文一致が達成され、話すように書くことができるようになると、今度は古文と現代文の間に距離が生じてきます。こうなると、古文や漢文は作文のお手本にはなりません。その代わりに、歴史的な価値を持つ「古典」として、「国民性の涵養（かんよう）」のために学ばれるようになります。

なぜ古典を学ぶことが「国民性」を育てることになるのでしょうか。それは、古典を読むことを通じて、わたしたちが共通の文化的ルーツを持っていると信じられるようになるからです。「源氏物語」や「枕草子」、「平家物語」や「徒然草」を書いたのは、わたしたちと同じこの土地に住んで日本語を使っていた人たちで、漢文で「論語」や「史記」を読んでもいた。今のわたしたちもそれを読んで理解し、共感することができる。そういうストーリーですね。一種のフィクションなのですが、この感覚が、わたしたちを共同体のメンバーとして結びつけます。

現代文であっても、いわゆる「定番教材」「国民教材」と呼ばれるような作品は、古典と同じように、読者を共同体のメンバーとして結びつける働きをします。たとえば、「ごんぎつね」や「走れメロス」、「羅生門」に「山月記」といった作品は、多くの教科書に載っていて多くの学校で教えられています。ほかの学校の友だちとも、同じ作品の話で盛り上がることができます。しかも、これらの作品は定番となってから時間が経っていますので、おそらくみなさんのお父さんやお母さんの世代も学校で習っています。「ごん、お前だったのか」とか「メロスは激怒した」とか、印象的なこれらの文がSNSなどでネタとして使われたりするのも、世代を問わずみんなが知っているからです。そんなふうに、横のつながりだけでなく、縦のつながりも感じられるのは、うれしく楽しいことですよね。

このようなつながりの感覚は、国家主義・植民地主義などと結びつけば、その外側にいる人たちを排除したり抑圧したりする危険性もはらんでいます。実際、戦前の国語教育が目指した「国民性の涵養」は、戦争に続いていくものでもありました。

しかし、「同じものを読む」ということを通して他者とつながる感覚それ自体は、決して悪いものではありません。古文や漢文の学びは、日本語共同体、さらには東アジアの漢字文化圏での連帯を作り出します。その連帯は、国家の枠に収まりきるものではありません。もっと言えば、人類に共有される文化遺産として、世界文学の一端を占めるものでもあります。わたしたちがシェイクスピアを知っているように、「源氏物語」を知っているイギリス人もいます。古典を学ぶことが作り出すつながりには、わたしたちが思う以上の可能性が秘められているのではないでしょうか。

現在、国語の内容を規定する学習指導要領では、古典を学ぶ意義や目的として「国民性」という言い方はしていません。そこで言われているのは、「伝統的な言語文化」を継承するということです。今まで読み継がれてきた作品をこれからも読み継いでいくこと。それも、なるべく当時と近い形で読めるようにすること。そのために必要最低限の文法を学ぶことが示されています。

よく考えてみると、古典で読まれる作品というのは、明治時代に近代的な国家という枠組みができるよりも前に書かれています。学校で読む古典は、学習指導要領や教科書検定という国の制度を通して決まっていきますが、その枠の中でおとなしくしていなければいけないという道理はありません。自分にとっての古典が何かというのは自分で決めていいのです。

教科書に載らない（載せられない）作品の中にも面白いものはたくさんあります。また、文学作品以外でも、地震や天文の研究に使われる古文書や、ひいおじいさん・ひいおばあさんの日記や手紙なども、日本語共同体が持つ文字の遺産です。自分がつながりを感じられるような作品を自分で探すために古文や漢文を読む力をつけるというのも、意義あることだと思います。

消滅の危機にある言語

さて、国家の言葉（国語）と個人の言葉（母語）は違うということはすでに見ました。「母語」と似た言葉で、「母国語」というのを聞いたことがありますか。「母語」と同じような意味で使われることが多いのですが、ちょっと注意してほしい言葉です。「母国語」つまり「母国の国語」と「母語」は似て非なる概念です。日本では母語も母国語も日本語だという人が多数派なので疑問を持たない人も多いかもしれませんが、ここはきちんと区別しておきましょう。

日本にも母語と母国語が一致しない人はたくさんいます。たとえば、小さい頃から外国に住んでいて日本語よりも現地の言葉の方が得意な人。日本で育って日本語が一番得意だけど国籍は外国籍という人。国籍も住んでいるのも日本だけど、日本語ではなく日本手話が第一言語であるろう者（聞こえない人）もそうです。日本のろう者が使う日本手話は、日本語とは全く異なる文法構造を持つ自然言語です。

それでは、日本国内では日本語のほかにどんな言語が話されているのでしょうか。今あげた日本手話もそうです。中国語、韓国・朝鮮語、スペイン語、ポルトガル語、ヒンディー語やタミル語、ベトナム語などを話す人たちのコミュニティもありますね。それから、北海道の先住民族アイヌの言葉であるアイヌ語。そして全国各地の方言。どこまでを方言（同じ言語の中のバリエーション）として、どこからを異なる言語とするか、その線引きには難しいところがありますが、少なくとも奄美（あまみ）や沖縄の言葉などは、ほかの地域の人が聞くとほとんど全くわからない、別の言語と言ってよいものです。

ユネスコは二〇〇九年、現在六千から七千ほどある世界の言語のうち、約二五〇〇の言語が消滅の危機にあると発表しました。そのうちの八つが日本で話されている言語（図５・３）

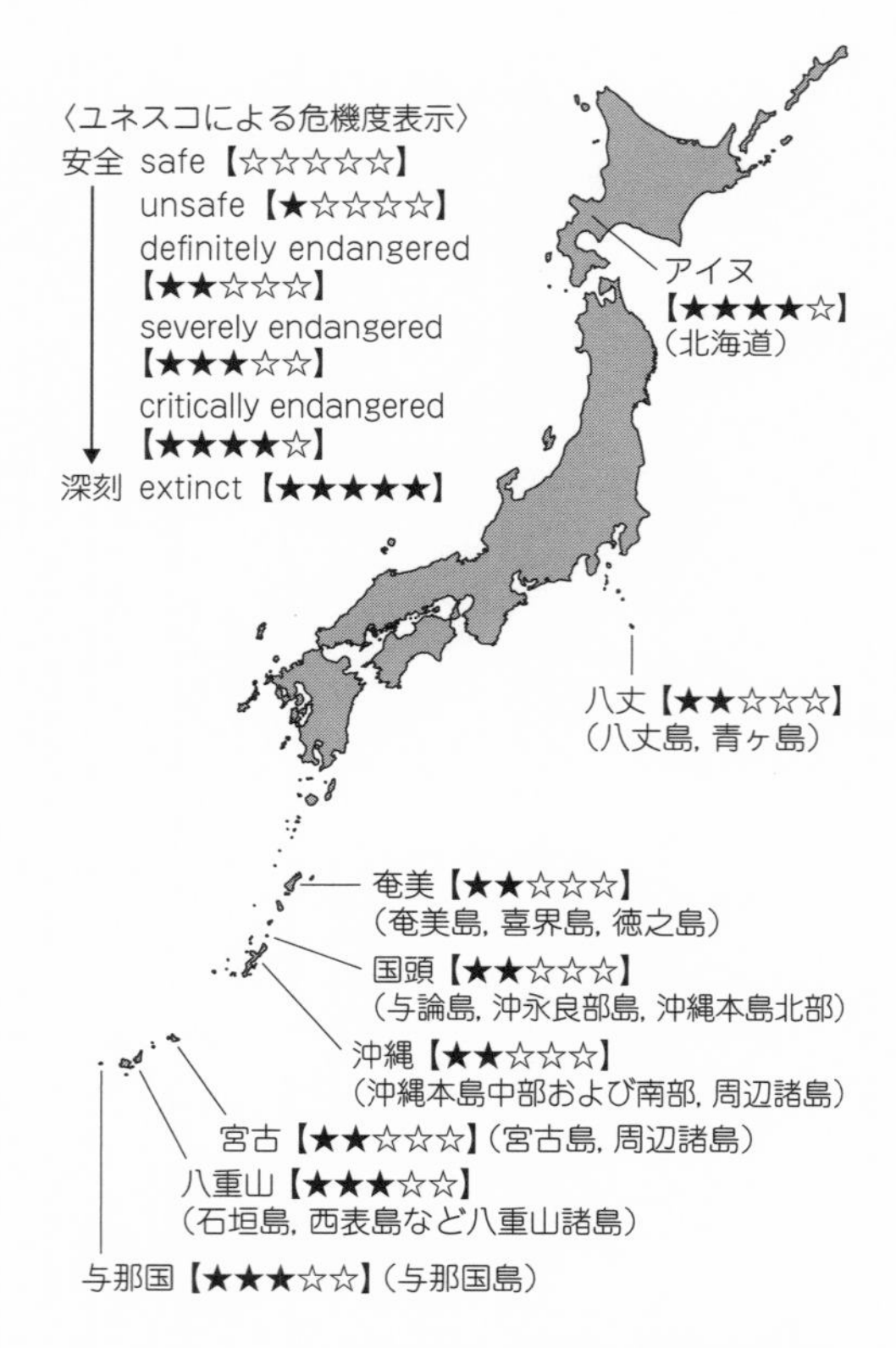

図5·3　ユネスコが認定した，日本における危機言語および方言の分布図（ユネスコ “Atlas of the World's Languages in Danger” をもとに作成）

で、アイヌ語、八重山(やえやま)語、与那国(よなぐに)語、八丈(はちじょう)語、奄美語、国頭(くにがみ)語、沖縄語、宮古(みやこ)語です。とりわけ深刻な危機に面しているのがアイヌ語で、すでに話者は数名しか残っていないと言われています。

　言語が消滅の危機にさらされる事情は様々です。極端な場合、戦争などで話者が殺されて滅んでしまうという場合もあるでしょう。あるいは、植民地として宗主国(そうしゅこく)の言語を強制され、自分たちの言語を禁じられて継承できなくなるということもあります。しかしそのように外からの力が加わった場合だけでなく、話者みずからがその言語を話さないことを選ぶことによって滅んでいく場合もあります。

　日本でも明治以来、方言は標準語よりも低い地位に置かれ、恥ずかしいものであるという意識をうえつけられてきました。特にアイヌや沖縄の人々は就職などでも厳しい差別に直面しましたので、自分の言葉を隠し標準語を話そうとする圧力がはたらいたことでしょう。

　社会的により高い地位を持つ言語を話せた方がその人の成功につながりやすいのは確かです。そのため、特に若い世代がより威信の高い言語に乗り換えたり、親が子どもに自分の言語を継承させなかったりすることがあります。このようにして、地方の言語が衰退していくことになります。

国家の言葉になっていれば、国民がみなそれを学びます。日本語は日本の国語ですし、一億人の話者を数える、世界で十指に入ろうという大言語ですから、すぐに消滅する心配はないでしょう。しかし、英語との関係で見れば、全く安泰というわけでもありません。

現在、事実上の世界共通語は英語です。ビジネスでも政治でも学問でも、英語が使えなければ世界の人とわたりあっていけない。だから英語を勉強しなければだめだ、と大人にも言われるし、みなさんもそう思うでしょう。なかには、英語圏に生まれた人は何の苦労もなく身につけた言葉をそのまま使えるのに、自分は一生懸命勉強しなくてはいけないなんて不公平だ、と思う人もいるかもしれませんね。しかし現実は現実です。実際、社内の公用語を英語にする企業が出てきたり、一部の大学の講義が英語で行われたりしています。そのぶん日本語が使われる機会は減っているわけです。この流れがどんどん加速していったら、ちょうど平安時代の漢文のように、公的なことにはすべて英語が使われて、日本語はプライベートなおしゃべりにしか使われないという日が来るかもしれません。

ならばいっそのこと、世界中の人がはじめから英語だけを覚えて使えばいいじゃないか、という意見もあります。それも一理あるような気がしますね。日本でも小学校から英語を勉強するようになりました。もっと小さい頃から、国語を全部やめて英語をやるようにすれば、もっと楽に上手に話せるようになるかもしれません。でも、たとえみんなで英語だけを使うようにしても、世界中が全く同じ英語を使うようにはならないのではないかな、と思います。

今も、同じ英語圏であってもイギリス英語とアメリカ英語とオーストラリア英語は発音や語彙(ごい)が異なりますし、インドやシンガポールもそれぞれに特徴的な英語が使われます。これ以外にも第二言語として英語を話す人々が世界中にいて、それぞれに自分の第一言語から影響を受けて、クセや特徴のある英語を話します。Englishes と複数形で呼ばれることもあるように、英語はもはや一つの言語と言い切れないほどのバリエーションがあります。世界に広がれば広がるほど、純粋な形を保つことは難しくなります。

でもこれは無理のないことなんですよね。自然環境が違い、社会のしくみが違い、文化や慣習が違う人たちは、違う言語を必要とするのです。それに、自分の考えや感覚にぴったりくる言葉を探し、それを親しい人と分かち合おうとする時、むしろほかの人にはわからない言葉で通じ合おうとするものです。みなさんも仲のいい友だちと、グループの中でしか通じない言い方をしたりしませんか。若者言葉を一生懸命マネしようとする大人はちょっと鬱陶(うっとう)しいと思ったりするでしょう。言語というものは、バリエーションが生まれていくことが自然なのです。

そうだとすれば、今ある言葉を全部やめて英語に統一してしまおうというのは、あまり意味のない暴論ではないでしょうか。その土地の言語は、自然や文化と結びついた歴史を背負って存在していて、今生きている人たちの生活によって常に生まれ変わり続けています。一つの言語が消滅するということは、その言語が持っていた広がりと奥行きのある世界がまるごと消えるということです。だから、多くの人が消滅の危機にある言語を何とかして守ろうとしているのです。

ろう教育と言語権

国語から少し話がそれてしまいました。日本の国語は日本語だけど、日本語以外の言語を話す人たちもたくさんいるということでしたね。そういう人たちは、学校の勉強をする時などに自分の言葉で勉強できないということですから、大変な苦労をします。

近年、教育をはじめとして社会生活の中で使う言語を選択する「言語権」が人権として尊重されるべきであるという考えが広まってきました。このことをろう者に対する教育を通じて考えてみましょう。「ろう者」とは耳が聞こえない人、特に手話を第一言語として使用する人のことです。（これに対して聞こえる人は「聴者（ちょうしゃ）」といいます。）

ろうの子どもたちが通うろう学校（現在では聴覚特別支援学校）では、長らく手話が禁じられてきました。その代わり、聴覚口話（こうわ）法といって、補聴器や人工内耳（ないじ）を使って残存聴力を活用しつつ、口の形を読み取ったり、発声・発音の練習をしたりして、音声日本語を習得することが目指されました。手話で簡単に意思疎通をしては口話が上達しないといって、手話を使うと罰せられることもあったそうです。ちょうど、標準語を学ぶために方言が禁じられたのと似ていますね。このような方針は、一八八〇年にミラノで開かれたろう教育に関する国際会議（ミラノ会議）で決議されたもので、世界的な流れでした。

しかし、想像してみてください。日本語には、「たまご」と「たばこ」のように口の形が全く同じでも発音が違う言葉もたくさんあって、目で見ただけでは区別できません。その上、自分がどのように声を出しているか自分ではわからない。そのような中で発音の練習をするのは、困難を極めます。また、無理なことをやろうとするので、時間がかかります。ろう学校の学習内容は二学年、三学年分の遅れが出るのもよくあることで、結果、進学や就職に影響が出ていました。

しかも、聞こえない子どもの約九割は、聞こえる親から生まれてきます。親が手話を使えれば、視覚からのインプットで言語を獲得できるのですが、音声日本語しか使えない場合、第一言語の確立が危うくなります。

このような状況に対して、手話で教育を受けられないのは言語権の侵害であるとして、ろう児の親たちやろう者らが日弁連（日本弁護士連合会）に人権救済の申し立てをしました。二〇〇三年のことです。これを受けて日弁連は二〇〇五年に「手話教育の充実を求める意見書」を出しました。そこには、「手話による教育を受けることは、教育を受ける権利・学習権（憲法26条）、教育の機会均等・平等権（憲法14条）、言語選択権・幸福追求権（憲法13条）等、憲法上保障された人権である」と書かれています。

そして二〇〇八年、東京都の教育特区の制度を利用して、日本で初めて「日本手話と日本語、ろう文化と聴文化によるバイリンガル・バイカルチュラルろう教育」を行う「明晴学園」という私立のろう学校が開校しました。

明晴学園の時間割では、「国語」の代わりに「手話」と「日本語」の時間があります。手話を第一言語として学んで思考力を鍛え、学習言語として確立する。一方、日本語は第二言語として文字による読み書きを身につけていこうというのです。前述のように、日本手話は日本語とは文法構造の異なる別の言語です。語順も異なりますし、眉や顎の動き、口の形など、手の形や動き以外の要素も文法的な意味を持ち、単語の意味も日本語と一対一対応にはなりません。ですから、第一言語が手話であるろう児たちは、日本語を外国語(第二言語)のように学ぶ必要があるのです。この学校では数学や理科・社会などほかの科目の授業も手話。教職員は半数以上がろう者であり、子どもたちのロールモデルともなっています。

二〇一〇年、バンクーバーで開かれた国際ろう教育会議で、口話主義を掲げたミラノ会議の方針が否定され、手話という自分の言葉で教育を受けることの大切さが改めて確認されました。現在では多くの国で手話を使ったろう教育がスタンダードになりつつあります。

そしてもちろん、自分の言葉で学ぶのが大切であることは、ろうの子どもたちに限ったことではありません。近年、日本に暮らす、外国にルーツを持つ子どもたちが増えています。日本語を母語としない子どもたちが公立の小中学校に通うようになったり、あるいは学校に通えず不就学の状態におかれたりしています。「日本語教育の推進に関する法律」も制定され、そのような子どもたちが日本語を学ぶ機会を拡充するよう求められています。日本の「国語」教育は新たな局面に立たされているといえるでしょう。

従来、「国語教育」は日本語母語話者に対する教育、「日本語教育」は非母語話者に対する第二言語としての教育を指し、両者はあまり交流をしてきませんでした。しかし、これからは学校の国語教育の中で日本語教育を行っていくことも必要になります。

ただし、それはかつてのように植民地の人々から言葉を奪い、「臣民」に仕立て上げていくというようなやり方であってはなりません。生徒ひとりひとりの母語を尊重しながら、日本語を学び使う者どうしとしてのコミュニティを築いていく。そんなことが求められているのではないでしょうか。

境界を越えて

国家の言葉としての「国語」について考える中で、国家の枠組みを越える必要性や可能性が見えてきましたね。では、具体的にどんなふうに「国語」の境界を越えていくことができるでしょうか。この章の冒頭でご紹介した温又柔（おんゆうじゅう）さんに再度登場していただきましょう。

すでに述べたように、幼少期から日本に住んでいた温さんは日本語が一番得意な言語になりましたが、大人になってから日本に移り住んだ温さんのお母さんは、同じようにはいきません。彼女は台湾語と中国語と日本語を奔放（ほんぽう）につなぎあわせて話します。たとえば「ティアー・リン・レ・講話、キリクァラキリクァラ、ママ、食べれないお菓子」(あんたたちがペチャクチャ喋（しゃべ）ってるのを聞いていると、お菓子を食べそびれちゃう)というように。また、日本語を話す時にも「おいしいのご飯」「迷子する」といった独特の表現が出てくる。これらは「好吃的飯」「迷路」といった中国語を直訳した表現になっているのですが、そのことを知らなかった小さい頃の温さんは「正しい日本語」を話せないお母さんにいらだっていたといいます。しかし、自身も中国語を勉強し、一見トンチンカンな表現の中に法則を見いだすにつれ、「ママ語」に魅力を感じるようになります。

これらの「ママ語」を「ママ語」たらしめているのは、吃薬、迷路、好玩的話……といった中国語や台湾語だ。それを知ってからは、余計に母のニホンゴを興味深いと感じるようになった。こうした「ママ語」の数々は、ややもすれば日本語だけでものを思い、考えてしまうわたしにとって、凝り固まったアタマを心地よく解きほぐしてくれる効果がある。

それで近頃のわたしは、母がキリクァラ・キリクァラ喋りだすと、とびきりの「ママ語」が紛れ込んでいないかどうか期待を込めて耳を傾ける。

（あたしも、ふつうのママが欲しかった）。

子どもの頃の、そんな自分に教えてあげたい。ママのニホンゴは素晴らしい。今に、みんなが羨ましがるようになる。

（温又柔「ママ語の正体」『台湾生まれ　日本語育ち』）

異なる言語の発想があるからこそ生まれる新鮮な表現。正しさばかりを考えていたら見つけられない魅力がそこにはあります。しかもそれは、その人の生きてきた経験が刻み込まれたものでもあるのです。今までになかった発想や経験を取り入れて、新しい表現が定着していくとしたら、それは日本語の可能性を広げることにもなるのではないでしょうか。

温さん自身は一方で、自分の国籍がある台湾とずっと生活してきた日本との間で「自分の国はどこなのか?」「自分の母国語とは何なのか?」と揺れ動いていました。そして、「日本語」こそが自分の居場所であると感じるようになります。

先にあげたエッセイ集『台湾生まれ　日本語育ち』は、そんな感覚を言い表した素敵なタイトルです。温さんは台湾人記者からの質問にこんなふうに答えたそうです。

——你覺得自己的歸屬在哪裡?（ご自分の居場所はどこだと感じますか?）

わたしは自分でもおどろくほど素直に言った。

——日語（日本語です）。

さらにわたしは続けた。

――我住在日語（わたしは日本語に住んでいます）。　（「失われた母国語を求めて」同前）

「我住在日語」は、このエッセイ集の繁体字中国語版のタイトルにもなりました。

言語は、話す人の国籍やルーツがどうであろうと、あるいはそれが規範に照らして「不完全」に見えようと、人がそれを支えにしたり居場所にしたりできる懐（ふところ）の深さを持っています。日本語を親しく用いて日々を送るわたしたちはみんな、日本語に住む「日本語人」なのです。

わたしたちは「国語」という枠組みを取り払って、日本語という言語そのものと関係を結ぶことができます。その時、日本語は日本人だけのものではなく、日本語母語話者だけのものでもありません。非母語話者が紡（つむ）いだ言葉をも取り込んで、日本語はこれからも形を変えていくでしょう。

考えてみれば、日本語は今までも、そんなふうにしてその姿を変えてきました。漢文を訓読という形で受け入れ、和漢混淆文が生まれました。ヨーロッパ言語の翻訳にも影響を受けて、新しい語彙、文や語りの構造が生まれました。これからも様々な言語と交流することによって変化していくでしょうし、相手の言語に影響を与えることもあるでしょう。そういった変化や影響は、母語話者からすれば違和感を覚えるものかもしれません。でも、可能性に開かれた刺激的なものでもあるはずです。

言葉というのは、わたしたちが思うよりもしぶとく、しなやかなものなのかもしれません。ひとつの言語の中に、あるいはひとりの人の中に、複数の言語が響き合う。それはちっとも特別なことではないのです。

この章では、これまで当たり前に受け入れてきた「国語」そのものを疑ってみました。いったん枠組みの外から見ることで、新しい見取り図を得ることができたでしょうか。

日本語という言語そのものと向き合い、現在のありようにつながる過去の蓄積を見る。同時に、ほかの言語やその話者との出会いを楽しむ。そんな「国語」を越える冒険も、きっと「国語」の時間にできるはず。あなたなりの「国語」の地図を描いて、その外側にある豊かな言葉の世界にも思いを馳せてみてください。

さあ、新たなる旅立ちです。あなたの地図を携えていきましょう！

深掘りしたい人へのオススメの本

第一章を深めたい!

◇俵万智『恋する伊勢物語』ちくま文庫、一九九五

恋の話をメインに、『伊勢物語(いせものがたり)』を現代に甦(よみがえ)らせてくれる解説。時おりはさまれる俵さんの自作の短歌も楽しい。

◇竹田青嗣『哲学ってなんだ——自分と社会を知る』岩波ジュニア新書、二〇〇二

哲学者は何を明らかにしてきたか、現代を生きる私たちの問題として、わかりやすく語った本。たとえば、ヘーゲルについてこうまとめる。「正しい答えは、万人が「正しい人」になることを目指す社会ではなく、万人が自分の望む生き方を求めることができ、しかしそのことが互いの幸福の追求を侵しあわず、むしろ相互にその追求を支え合うことができるような、そういう社会のしくみを考えることだ」。

第二章を深めたい！

◇鏡リュウジ『「占い脳」でかしこく生きる』河出書房新社　二〇〇七

占いを楽しめたら人生はもっと豊かに。占いの考え方を知れば、前近代の神話的思考と近代の合理的思考の両方を相対化できるようになる。西洋の占いの基本を知りたい人にも。

◇鈴木日出男『百人一首』ちくま文庫、一九九〇

見開き二頁で百人一首を一首ずつ解説。和歌の表現技法や要語ノートが巻末にまとめられており、理解が深まる。和歌占いにもオススメ。開いたところの歌で占ってみよう。

◇上田紀行『生きる意味』岩波新書、二〇〇五

何のために生きているのか。自分の人生を見つけるための提言の書。「生きる意味」に悩む人、「自分さがし」に関心のある人に。

第三章を深めたい！

◇廣野由美子『批評理論入門――『フランケンシュタイン』解剖講義』中公新書、二〇〇五

小説を論理的に、分析的に読むとはどういうことか。そのためのツールとなる批評理論のコンパクトな入門書。名作「フランケンシュタイン」の解説としても面白い。

◇高島俊男『李白と杜甫』講談社学術文庫、一九九七
後世からの評価はともかく、詩人として生計を立てたいのなら、李徴（りちょう）のような態度でやっていけるはずはない。漢詩人たちの世すぎの苦労がわかる一冊。

◇安藤宏『「私」をつくる　近代小説の試み』岩波新書、二〇一五
李徴の話は私語り。でも、私を語ることって、簡単そうで意外に難しかった。近代の作家たちの苦心を知ると、「山月記（さんげつき）」がどうやって作られたのかが見えてくる。

第四章を深めたい！

◇屋名池誠『横書き登場――日本語表記の近代』岩波新書、二〇〇三
タテ書きか、ヨコ書きか。はたまた左から読むのか？　右から読むのか？――書き言葉は配列や方向を見定めて書かれたものをどう読み進めるかが問題だ。書字方向の多様な実例を数多く挙げ、その変遷をたどる近代日本語学史。

◇桑田てるみ『5ステップで情報整理！　問題解決スキルノート』明治書院、二〇一一
書くこと、話すことに限らず問題解決のステップで考えるともやっとしたものが整理できる。本書は5つのステップに分け、実際に書き込むことで自分の考えを見える形にする。情報収集はそこそこ得意、だけどその後どうする？　というあなたにおすすめ。

◇石黒圭『段落論　日本語の「わかりやすさ」の決め手』光文社新書、二〇二〇
段落は誰のためにあるのか？――本書では「読むための段落」「書くための段落」「聞くための段落」「話すための段落」のそれぞれの特徴がわかる。段落の持つ意味や種類を知って効果的な段落づくりを考えてみよう。

第五章を深めたい！

◇金水敏『ヴァーチャル日本語　役割語の謎』岩波書店、二〇〇三
「わしが博士じゃ」「よろしくってよ」など、キャラクターらしさを表す「役割語」を分析。「標準語」がヒーローの言葉となり、方言が「商売人」「田舎者」といったキャラクターを表す要素になること、それが時に差別的な表現になり得ることも指摘している。
◇多和田葉子『エクソフォニー――母語の外へ出る旅』岩波現代文庫、二〇一二
日本で生まれ育ち、現在はドイツ在住で、日本語とドイツ語を用いて創作している作家のエッセイ。言語に対する見かたを揺さぶられる。
◇亀井伸孝『手話の世界を訪ねよう』岩波ジュニア新書、二〇〇九
手話という言語の豊かな世界を知る最良の入門書。
◇庵功雄『やさしい日本語――多文化共生社会へ』岩波新書、二〇一六

シンプルな単語と文法を使った、非母語話者にもわかりやすい「やさしい日本語」。様々なバックグラウンドを持つ人たちとともに暮らし、必要なことをきちんと伝えるために。

参考文献

第一章

カロッサ(斎藤栄治・訳)『幼年時代』岩波文庫、一九五三(二〇一二改版)
黒井千次『草の中の金の皿』花曜社、一九八五

第二章

外山滋比古『日本語の論理』中公文庫、一九八七
『広辞苑』(第七版) 岩波書店、二〇一八
渡部泰明『和歌とは何か』岩波新書、二〇〇九
渡部泰明『和歌史　なぜ千年を越えて続いたか』角川選書、二〇二〇
久保田淳・馬場あき子編『歌ことば歌枕大辞典』角川書店、一九九九

今井むつみ『ことばの発達の謎を解く』ちくまプリマー新書、二〇一三
石黒圭『語彙力を鍛える　量と質を高めるトレーニング』光文社新書、二〇一六
荒川洋治『読むので思う』幻戯書房、二〇〇八

第三章

李景亮「人虎伝」(『国訳漢文大成』文学部第十二巻所収) 国民文庫刊行会、一九二〇
中島敦「虎狩」(『光と風と夢』所収) 筑摩書房、一九四二
中島敦「山月記」(『山月記・李陵』所収) 岩波文庫、一九九四
太宰治「走れメロス」(『走れメロス　富嶽百景』所収) 岩波少年文庫、二〇〇二

第四章

文化審議会国語分科会「分かり合うための言語コミュニケーション(報告)」二〇一八

第五章

温又柔『「国語」から旅立って』新曜社、二〇一九
温又柔『台湾生まれ　日本語育ち』白水Uブックス、二〇一八

ドーデー(桜田佐・訳)『月曜物語』岩波文庫、一九五九
田中克彦『ことばと国家』岩波新書、一九八一
府川源一郎『消えた「最後の授業」 言葉・国家・教育』大修館書店、一九九二
井上ひさし『新版　國語元年』新潮文庫、二〇一八
神奈川近代文学館『中島敦展——魅せられた旅人の短い生涯』(展覧会図録)二〇一九
イ・ヨンスク『「国語」という思想——近代日本の言語認識』岩波書店、一九九六
長嶋愛『手話の学校と難聴のディレクター——ETV特集「静かで、にぎやかな世界」制作日誌』ちくま新書、二〇二一

コラム

高田衛編・校注『江戸怪談集 下』岩波文庫、一九八九

渡部泰明(はじめに・第1章)
1957年、東京都生まれ。東京大学教授を経て、現在国文学研究資料館館長。著書に、『和歌とは何か』(岩波新書)、『古典和歌入門』(岩波ジュニア新書)等。日本の古典は参加するものだった、と信じている。

平野多恵(第2章)
1973年、富山県生まれ。お茶の水女子大学卒業、東京大学大学院博士課程修了。博士(文学)。成蹊大学文学部教授。著書に『歌占カード』(夜間飛行)、『おみくじのヒミツ』(河出書房新社)等。モットーは「古典をおもしろく」。

出口智之(第3章)
1981年、愛知県生まれ。東京大学卒業、同大学院博士課程修了。博士(文学)。東海大学講師・准教授を経て東京大学大学院准教授。専門分野は明治文学と美術で、著書に『幸田露伴と根岸党の文人たち』(教育評論社)等。

田中洋美(第4章)
1971年、愛知県生まれ。名古屋大学大学院文学研究科博士課程(前期)修了。修士(文学)。椙山女学園高等学校国語科教諭・司書教諭。著書に『山東京山伝奇小説集』(共著、国書刊行会)等。

仲島ひとみ(第5章)
1980年、千葉県生まれ。東京大学卒業、同大学院修士課程修了(日本語学)。ロンドン大学教育研究所留学。国際基督教大学高等学校国語科教諭。著書に論理学入門の学習マンガ『それゆけ!論理さん』(野矢茂樹監修、筑摩書房)等。

国語をめぐる冒険　　岩波ジュニア新書 938

2021 年 8 月 20 日　第 1 刷発行
2022 年 9 月 15 日　第 3 刷発行

著　者　渡部泰明（わたなべやすあき）　平野多恵（ひらのたえ）　出口智之（でぐちともゆき）
田中洋美（たなかひろみ）　仲島ひとみ（なかじま）

発行者　坂本政謙

発行所　株式会社 岩波書店
〒101-8002 東京都千代田区一ツ橋 2-5-5
案内 03-5210-4000　営業部 03-5210-4111
ジュニア新書編集部 03-5210-4065
https://www.iwanami.co.jp/

印刷・三陽社　カバー・精興社　製本・中永製本

ISBN 978-4-00-500938-1　　Printed in Japan

岩波ジュニア新書の発足に際して

きみたち若い世代は人生の出発点に立っています。きみたちの未来は大きな可能性に満ち、陽春の日のようにひかり輝いています。勉学に体力づくりに、明るくはつらつとした日々を送っていることでしょう。

しかしながら、現代の社会は、また、さまざまな矛盾をはらんでいます。営々として築かれた人類の歴史のなかで、幾千億の先達（せんだつ）たちの英知と努力によって、未知が究明され、人類の進歩がもたらされ、大きく文化として蓄積されてきました。にもかかわらず現代は、核戦争による人類絶滅の危機、貧富の差をはじめとするさまざまな人間的不平等、社会と科学の発展が一方においてもたらした環境の破壊、エネルギーや食糧問題の不安等々、来るべき二十一世紀を前にして、解決を迫られているたくさんの大きな課題がひしめいています。現実の世界はきわめて厳しく、人類の平和と発展のためには、きみたちの新しい英知と真摯（しんし）な努力が切実に必要とされています。

きみたちの前途には、こうした人類の明日の運命が託されています。ですから、たとえば現在の学校で生じているささいな「学力」の差、あるいは家庭環境などによる条件の違いにとらわれて、自分の将来を見限ったりはしないでほしいと思います。個々人の能力とか才能は、いつどこで開花するか計り知れないものがありますし、努力と鍛錬の積み重ねの上にこそ切り開かれるものですから、簡単に可能性を放棄したり、容易に「現実」と妥協したりすることのないようにと願っています。

わたしたちは、これから人生を歩むきみたちが、生きることのほんとうの意味を問い、大きく明日をひらくことを心から期待して、ここに新たに岩波ジュニア新書を創刊します。現実に立ち向かうために必要とする知性、豊かな感性と想像力を、きみたちが自らのなかに育てるのに役立ててもらえるよう、すぐれた執筆者による適切な話題を、豊富な写真や挿絵とともに書き下ろしで提供します。若い世代の良き話し相手として、このシリーズを注目してください。わたしたちもまた、きみたちの明日に刮目（かつもく）しています。（一九七九年六月）